F(

CW00384319

Hi Barbar

Bought this [illegible]
thro' curiosity & really
enjoyed it. Thought you
might like it as its
short stories and bilingual
so you can brush up
on your French while
waiting to visit Brittany
again. I never read
short stories but really
enjoyed this collection!

Love,

Linda.

xx

Chimamanda Ngozi Adichie

Les arrangements

et autres histoires

The Arrangements

and Other Stories

Traduit de l'anglais (Nigeria)
par Marguerite Capelle et Mona de Pracontal

Gallimard

Chimamanda Ngozi Adichie est née en 1977 au Nigeria et a grandi sur le campus de l'université du Nigeria à Nsukka. À dix-neuf ans, elle se rend aux États-Unis pour étudier. Diplômée en sciences politiques et communication, elle poursuit ses études en création littéraire à l'université Johns-Hopkins (Baltimore) puis en études africaines à Yale (New Haven). Elle partage aujourd'hui son temps entre Lagos et Washington.

Ses nouvelles ont été publiées dans de nombreuses revues littéraires, notamment dans *Granta*. Son premier roman, *L'hibiscus pourpre* (2003), a été sélectionné pour l'Orange Prize et le Booker Prize en 2004, et a remporté le Commonwealth Writers' Prize en 2005. *L'autre moitié du soleil* a reçu l'Orange Prize en 2007. Elle est l'auteur du roman très remarqué *Americanah* (2013), ainsi que de plusieurs essais : *Nous sommes tous des féministes* (2014) et *Chère Ijeawele, ou un manifeste pour une éducation féministe* (2017).

La nouvelle « The Arrangements » a paru dans *The New York Times,* le 28 juin 2016. Elle a été traduite par Marguerite Capelle et publiée pour la première fois en français, sous le titre « Les arrangements », dans la revue *America* (n° 2, 2016).

Les autres nouvelles de la présente édition sont extraites du recueil *The Thing around your Neck,* paru en 2009 simultanément chez 4th Estate et Knopf. Elles ont fait l'objet de publications séparées dans des revues ou dans des magazines avant de constituer le recueil : « Imitation » dans *Other Voices* (38, 2003) ; « The Thing around your Neck » dans *Prospect* (99, 2004) ; « The American Embassy » dans *Prism International* (40-3, 2002) ; « The Arrangers of Marriage », sous le titre « New Husband », dans *Iowa Review* (33-1, 2003). Elles ont été traduites en français par Mona de Pracontal, et ont paru pour la première fois en recueil aux Éditions Gallimard sous le titre *Autour de ton cou,* dans la collection « Du monde entier », en 2013.

The Arrangements
Les arrangements

Melania decided she would order the flowers herself. Donald was too busy now anyway to call Alessandra's as usual and ask for "something amazing." Once, in the early years, before she fully understood him, she had asked what his favorite flowers were.

"I use the best florists in the city, they're terrific," he replied, and she realized that taste, for him, was something to be determined by somebody else, and then flaunted.

At first, she wished he would not keep asking their guests, "How do you like these great flowers?" and that he would not be so nakedly in need of their praise, but now she felt a small tug of annoyance if a guest did not gush as Donald expected. The florists were indeed good, their peonies delicate as tissue, even if a little boring,

Melania décida qu'elle commanderait les fleurs elle-même. Donald était trop occupé en ce moment de toute façon pour appeler chez Alessandra, comme d'habitude, et demander « un truc épatant ». Un jour, à leurs débuts, au temps où elle n'avait pas encore tout compris de lui, elle lui avait demandé quelles étaient ses fleurs préférées.

« Je vais chez les meilleurs fleuristes de la ville, ils sont géniaux », avait-il répondu, et elle avait réalisé qu'il laissait volontiers à d'autres le soin de définir le bon goût dont il aimait ensuite faire étalage.

Au début, sa manie de demander à leurs invités : « Qu'est-ce que vous dites de ces superbes fleurs ? » et la soif si manifeste qu'il avait de leurs compliments lui déplaisaient, mais à présent elle ressentait une pointe d'agacement si un invité ne s'extasiait pas comme Donald s'y attendait. C'était assurément d'excellents fleuristes, avec leurs pivoines aussi délicates que du papier de soie (quoiqu'un peu insipides),

and the interior decorators Donald had brought in—all the top guys used them, he said—were good, too, even if all that gold yellowness bordered on staleness, and so she did not disagree because Donald disliked dissent, and he only wanted the best for them, and she had what she really needed, this luxurious peace. But today, she would order herself. It was her dinner party to celebrate her parents' anniversary. Unusual orchids, maybe. Her mother loved uncommon things.

Her Pilates instructor, Janelle, would arrive in half an hour. She had just enough time to order the flowers and complete her morning skin routine. She would use a different florist, she decided, where Donald did not have an account, and pay by herself. Donald might like that; he always liked the small efforts she made. Do the little things, don't ask for big things and he will give them to you, her mother advised her, after she first met Donald. She gently patted three different serums on her face and then, with her fingertips, applied an eye cream and sunscreen.

What a bright morning. Summer sunlight raised her spirits. And Tiffany was leaving today. It felt good. The girl had been staying for the past week, and came and went,

et les décorateurs d'intérieur que Donald avait fait venir – tous les gens importants faisaient appel à eux, selon lui – étaient très bons aussi, même si tout ce jaune doré frisait parfois la ringardise. Elle ne s'était donc opposée à rien, parce que Donald détestait la contradiction, qu'il ne voulait que ce qu'il y avait de mieux pour eux, et qu'elle avait ce dont elle avait vraiment besoin : cette luxueuse tranquillité. Mais aujourd'hui, elle allait commander elle-même. C'était le jour du dîner qu'elle organisait pour fêter l'anniversaire de mariage de ses parents. Des orchidées rares, peut-être. Sa mère adorait les choses peu communes.

Sa professeur de Pilates, Janelle, allait arriver dans une demi-heure. Elle avait juste le temps de commander les fleurs et de terminer son rituel matinal de soins du visage. Elle appellerait un nouveau fleuriste, décida-t-elle, un chez qui Donald n'avait pas de compte, et elle paierait elle-même. Cela ferait peut-être plaisir à Donald : ses modestes efforts le rendaient toujours heureux. Multiplie les petites attentions, n'attends pas de grands gestes de sa part et ils viendront d'eux-mêmes, lui avait conseillé sa mère après sa première rencontre avec Donald. Elle tapota doucement trois sérums différents sur son visage, puis appliqua du bout des doigts une crème pour les yeux et un écran solaire.

Quelle matinée radieuse ! Le soleil de l'été la mettait de bonne humeur. Et Tiffany s'en allait aujourd'hui. Elle s'en réjouissait. La jeune fille était là depuis une semaine, multipliant les allées et venues,

mostly staying out of her way. Still, it felt good. Yesterday she had taken Tiffany to lunch, so that she could tell Donald that she had taken Tiffany to lunch.

"She adores all my kids, it's amazing," Donald once told a reporter—he was happily blind to the strangeness in the air whenever she was with his children.

To keep the lunch short, she had told Tiffany that she had an afternoon meeting with the Chinese company that produced her jewelry—even though she had no plans. Tiffany had cheerily forked spinach salad into her mouth, her California voice too pleasant, too fey. Her wrists looked fragile and breakable. She talked about how much she loved Ivanka's new collection; she talked about a vegan recipe, reciting details of berries and seaweed, as though Melania would actually ever make it. She played a recording of her singing and said: "It's not there yet but I'm working on it. You think Dad will like it?" Melania said, "Of course."

Now she found herself warming to Tiffany, perhaps more because the girl was leaving today. Tiffany was nice. Tiffany courted her. Tiffany acknowledged her power. Tiffany was different from that Czech woman's children—she never disputed, with her manner, the primacy of Melania's place in Donald's life.

et l'essentiel du temps elle ne l'avait pas eue dans les jambes. Tout de même, elle se réjouissait. Hier, elle avait invité Tiffany à déjeuner en ville, pour pouvoir dire à Donald qu'elle l'avait fait.

« Elle adore tous mes enfants, c'est super », avait déclaré un jour Donald à un reporter – il était ravi de fermer les yeux sur l'atmosphère bizarre qui régnait quand elle était en présence de ses enfants.

Pour que le déjeuner ne s'éternise pas, elle avait dit à Tiffany qu'elle avait rendez-vous l'après-midi avec l'entreprise chinoise qui produisait ses bijoux – bien qu'elle n'ait en réalité aucun programme. Tiffany s'attaqua gaiement à sa salade d'épinard, avec son accent californien trop charmant, trop chichiteux. Ses poignets avaient l'air fragiles, comme près de se briser. Elle raconta combien elle adorait la nouvelle collection d'Ivanka. Elle lui parla d'une recette végane, récitant toutes sortes de détails sur des baies et des algues, comme si Melania était réellement susceptible de cuisiner ce plat un jour. Elle lui passa un enregistrement de ses chansons, et lui dit : « Ce n'est pas encore tout à fait ça, mais j'y travaille. Tu penses que ça plaira à papa ? » Melania répondit : « Bien sûr. »

Voilà qu'elle se découvrait une affection naissante pour Tiffany, peut-être d'autant plus que la jeune fille partait aujourd'hui. Tiffany était gentille. Tiffany recherchait ses faveurs. Tiffany reconnaissait son pouvoir. Tiffany n'était pas comme les enfants de cette Tchèque – elle ne contestait jamais, par son attitude, la place prééminente qu'occupait Melania dans la vie de Donald.

Not like Ivanka. Melania breathed deeply. Even just thinking of Ivanka brought an exquisite, slow-burning irritation. That letter Ivanka wrote to Donald after their engagement. She would never forget it. Congratulations, Dad. At least your ex-wife was pure. It lay carelessly on the desk, as most of Donald's papers did, and Melania had read it over and over, and later, unable to control herself, had shown it to Donald. What does she mean by this? Donald laughed it off. Ivanka gets moody and jealous, he said. I am here! Melania had wanted to shout once at the girl, golden-haired and indulged by Donald, one summer when Ivanka joined them for breakfast in Palm Beach and did not once glance at Melania.

"Melania looks great, but we have to think about how to make her more relatable for the convention, maybe less contour makeup and her smiling and not squinting so much," Ivanka said just two days earlier, at a meeting with Donald's campaign team. Melania was seated there, next to Donald and part of the meeting, and yet Ivanka spoke of her as though she were invisible.

"Yes, that's a good idea," Donald said. He always agreed with Ivanka. Ivanka who spoke in eloquent streams of words that meant nothing but still impressed everyone, Ivanka whom Donald showed off like a glowing modern toy that he did not know how to operate.

Pas comme Ivanka. Melania inspira profondément. Rien que de penser à Ivanka suscitait en elle une irritation cuisante et lancinante. Cette lettre qu'Ivanka avait écrite à Donald après leurs fiançailles. Félicitations, papa. Au moins ton ex-femme était pure. Elle traînait négligemment sur le bureau, comme la plupart des papiers de Donald, et Melania l'avait relue encore et encore, et plus tard, incapable de se contrôler, elle l'avait montrée à Donald. Qu'est-ce qu'elle veut dire par là ? Il s'était contenté d'en rire. Ivanka a ses humeurs, elle est parfois jalouse, avait-il dit. Je suis là ! avait eu un jour envie de hurler Melania à cette fille aux cheveux dorés à qui son père passait tout, un été où Ivanka les avait rejoints à Palm Beach pour le petit déjeuner et ne lui avait pas jeté le moindre regard.

« Melania est très jolie, mais pour la convention il faudra voir comment faire en sorte que les gens puissent s'identifier davantage à elle : peut-être moins de maquillage, et puis qu'elle sourie et qu'elle arrête de plisser les yeux tout le temps », avait dit Ivanka à peine deux jours plus tôt, lors d'une réunion avec l'équipe de campagne de Donald. Melania était assise là, à côté de Donald, elle participait à la réunion, et pourtant Ivanka avait parlé d'elle comme si elle était invisible.

« Oui, bonne idée », avait répondu Donald. Il était toujours d'accord avec Ivanka. Ivanka, qui débitait un flot de paroles éloquentes, vides de sens mais qui impressionnaient quand même tout le monde, Ivanka que Donald exhibait comme un joujou moderne et rutilant dont il ne savait pas se servir.

Remember, only praise for his daughter when he is there, her mother told her whenever Melania complained.

Her phone chimed; a text from Donald. I'm leading in the latest poll. National! Nice!

It was probably what he had tweeted as well. He copied and pasted his tweets to her in text messages. Once she had suggested he hold back on a tweet and he replied that he had already tweeted it. He showed her his tweets after he had sent them, not before.

That is so great! she texted back.

She sagged suddenly with terror, imagining what would happen if Donald actually won. Everything would change. Her contentment would crack into pieces. The relentless intrusions into their lives; those horrible media people who never gave Donald any credit would get even worse. She had never questioned Donald's dreams because they did not collide with her need for peace. Only once, when he was angry about something to do with his TV show, and abruptly decided to leave her and Barron in Paris and go back to New York, she had asked him quietly, "When will it be enough?" She had been rubbing her caviar cream on Barron's cheeks—he was about 6 then—and Donald ignored her question and said, "Keep doing that and you'll turn that kid into a sissy."

She forced herself to stop thinking of Donald winning.

Rappelle-toi, il suffit de complimenter sa fille quand il est présent, lui disait sa mère à chaque fois que Melania se plaignait.

Son téléphone sonna : un texto de Donald. *Je suis en tête du dernier sondage. National ! Super !*

Il avait probablement twitté la même chose. Il copiait-collait ses tweets dans les textos qu'il lui adressait. Elle lui avait un jour suggéré d'attendre avant de publier un tweet, et il lui avait répondu qu'il était déjà en ligne. Il lui montrait ses tweets après les avoir envoyés, pas avant.

C'est fantastique ! lui répondit-elle.

Elle défaillit soudain de terreur, imaginant ce qui se produirait si Donald gagnait vraiment. Tout changerait. Son univers satisfait volerait en éclats. Les intrusions perpétuelles dans leur vie. Ces horribles gens des médias, toujours à critiquer Donald, n'en deviendraient que plus méchants encore. Elle n'avait jamais remis en cause les rêves de Donald parce qu'ils n'interféraient pas avec son besoin de tranquillité. Une seule fois, à Paris, alors qu'il était en colère pour quelque chose qui avait à voir avec son émission de télé, et qu'il avait brusquement décidé de les planter là, Barron et elle, pour rentrer à New York, elle lui avait demandé doucement : « Est-ce que tout ça va s'arrêter un jour ? » Elle était en train de masser les joues de Barron avec sa crème au caviar – il avait alors environ six ans – et Donald avait ignoré sa question : « Si tu continues comme ça, tu vas faire de ce gosse une vraie chochotte. »

Elle s'obligea à arrêter de penser à la victoire de Donald.

There was this evening to look forward to, with Donald and her parents and a few friends, food and flowers, the butler's creaseless service, and the magnanimous ease of it all.

Barron had told her last night that he would not join them at dinner. "Too boring, Mom," he had said in Slovenian. She missed his delicious younger days, when he was pliable and happy to go everywhere with her, when she would brush his hair and hold his perfect little body close and feel it almost one with hers. Now, he had an individual self, separate and wise, with knowledge of golf and video games; when she kissed him he twisted away. At least she had persuaded him to come down and say hello to the guests after they arrived.

She had asked the chef for a menu that was both "old and new," and he suggested steak and watercress and quinoa and lobster and something else she did not remember. Her mother would like it. When she was growing up, her mother used the French or English terms for the food she cooked, as if the Slovenian would make them unforgivingly ordinary. She would serve a ragout for dinner, after a long day at the textile factory, her lips still carefully rouged, her waist tightly cinched, always striving, always trying to escape the familiar. A woman had to hold herself together, her mother said, or end up looking like a wide middle-aged Russian.

Il y avait la perspective agréable de cette soirée, avec lui, ses parents et quelques amis, un repas et des fleurs, le service sans faux pli du majordome, tout cela empreint d'une noble sérénité.

Barron lui avait dit la veille au soir qu'il ne se joindrait pas à eux pour dîner. « Trop barbant, maman », avait-il lâché en slovène. Elle regrettait ses délicieuses premières années, quand il était encore malléable et ravi de l'accompagner partout, quand elle lui brossait les cheveux et serrait contre elle son petit corps parfait, et qu'elle avait presque le sentiment qu'il ne faisait qu'un avec le sien. C'était désormais un individu à part entière, indépendant et malin, qui s'y connaissait en golf et en jeux vidéo. Quand elle l'embrassait, il se tortillait pour lui échapper. Au moins avait-elle obtenu qu'il descende saluer les invités quand ils arriveraient.

Elle avait demandé au chef un menu à la fois « classique et moderne », et il avait suggéré du steak, du cresson, du quinoa et du homard, et quelque chose d'autre dont elle ne se souvenait plus. Cela plairait à sa mère. Quand elle était petite, sa mère utilisait des mots français ou anglais en cuisine, comme si le slovène risquait de conférer à ses plats un caractère irrémédiablement ordinaire. Elle servait du ragoût à dîner, après une longue journée à l'usine textile, les lèvres encore soigneusement peintes en rouge, la taille fermement sanglée, ne relâchant jamais ses efforts, essayant toujours d'échapper au quotidien. Une femme ne doit jamais se laisser aller, disait sa mère, sous peine de finir par ressembler à une grosse Russe d'âge mûr.

★

The butler called her bedroom. "Miss Tiffany would like to say goodbye, Mrs. Trump."

"Yes, thank you," Melania said, and waited for Tiffany to knock on her door.

"I'm so sorry, didn't want to bother you," Tiffany said. Her blond hair extensions were distracting; too long and doll-like.

"No, no problem," Melania said. "You look nice."

"Thank you so much for everything! See you in Cleveland next week!" Tiffany said, hugging her.

"Take care."

At the door, Tiffany turned back and said, "Ivanka donates to Hillary."

"What?"

"I saw it on her laptop when I went over there last night. She uses a fake name. It's the same fake name she uses to order stuff online. I thought you should know."

Melania swallowed her surprise. Why was Tiffany telling her this? Around Ivanka, Tiffany was like an eager insecure puppy, as though she would not truly be part of the family but for Ivanka's good grace—a grace that needed to be fed with loyalty and adulation.

So why tell her this? And could it be true? Tiffany was watching,

*

Le majordome appela sa chambre. « Mlle Tiffany voudrait vous dire au revoir, madame Trump.

— Oui, merci, répondit Melania, et elle attendit que la jeune fille frappât à sa porte.

— Je suis désolée, je ne voulais pas te déranger », dit Tiffany. Ses extensions blondes empêchaient Melania de se concentrer : elle avait les cheveux trop longs, comme ceux d'une poupée.

« Non, pas de problème, répondit-elle. Tu es ravissante.

— Merci pour tout, vraiment ! On se voit à Cleveland la semaine prochaine ! dit Tiffany, en la serrant dans ses bras.

— Prends soin de toi. »

À la porte, Tiffany se retourna et dit : « Ivanka fait des dons à Hillary.

— Quoi ?

— Je l'ai vu sur son ordinateur portable quand je suis passée l'autre soir. Elle utilise un faux nom. C'est le même que celui qu'elle prend pour commander des trucs en ligne. J'ai pensé qu'il fallait que tu le saches. »

Melania ravala sa surprise. Pourquoi Tiffany lui racontait-elle ça ? En présence d'Ivanka, elle ressemblait à un chiot empressé et mal assuré, comme si elle ne faisait partie de la famille que par la bonne grâce de cette dernière – une grâce qu'il lui fallait entretenir par sa loyauté et son adoration.

Alors, pourquoi lui raconter une telle chose ? Et cela pouvait-il être vrai ? Tiffany l'observait,

waiting for a reaction. She was determined to say nothing, just in case Tiffany was reporting back to someone. She always suspected intrigue among Donald's children—and she would not tell Donald about this, not yet; she would first discuss it with her mother. Whether it was true or not, this was a morsel to be saved, molded, used in the best way.

"I must get ready for my Pilates, Tiffany," she said firmly. "See you in Cleveland."

Donald called just after she ordered the orchids. He had some meetings, but his big event of the day was a luncheon organized by the Republican National Committee.

"How is it going?" she asked.

"Great. Did you see the polls, honey? Can you believe this?" His voice had an ebullient pitch. He still did not entirely believe this was happening—his lead in the polls, the new veneer of being taken seriously. She could tell from the disbelieving urgency of his actions, and from the way he flipped through cable channels and scanned newspapers for his name.

"Remember I told you: You will win," she said.

She always tried to sound casually believing, as if the polls were merely incidental, and her faith had conjured his victory. But she was as startled by his rise as he was.

attendant une réaction. Elle était bien décidée à ne rien dire, juste au cas où la jeune fille rendrait des comptes à quelqu'un. Elle soupçonnait toujours les enfants de Donald d'intriguer – et elle n'en parlerait pas à ce dernier, pas tout de suite. Elle en discuterait d'abord avec sa mère. Que ce soit vrai ou non, c'était une info à conserver précieusement et à travailler pour l'utiliser à bon escient.

« Je dois me préparer pour ma séance de Pilates, Tiffany, dit-elle d'un ton ferme. On se voit à Cleveland. »

Donald appela juste après qu'elle eut commandé les orchidées. Il avait quelques réunions, mais le principal événement du jour était un déjeuner organisé par le Comité national républicain.

« Comment ça se passe ? demanda-t-elle.

— Super. Tu as vu les sondages, chérie ? Incroyable, hein ? » Son ton était exubérant. Il avait toujours un peu de mal à croire à ce qui était en train de se passer – sa première place dans les sondages, le lustre nouveau que lui conférait le fait d'être pris au sérieux. Elle le voyait à la précipitation incrédule de ses actes, et à la façon dont il faisait défiler les chaînes du câble et scrutait les journaux à la recherche de son nom.

« Souviens-toi, je te l'ai dit : tu vas gagner », répondit-elle.

Elle essayait toujours d'afficher une confiance toute naturelle, comme si les sondages n'étaient qu'un détail, et que c'était sa foi en lui qui avait fait advenir sa victoire. Mais son ascension la surprenait tout autant que lui.

When she had first told him "you will win," that balmy day in Florida last year, drinking Diet Coke in tennis whites, she had meant he would win at what he wanted: the publicity, the ego polish. It would help his TV show, and impress those business associates tickled by fame. But she had never meant he would actually win the Republican primary, nor had she expected the frenzy of media coverage he received. Americans were so emotionally young, so fascinated by what Europeans knew to be world-weary realities. They were drawn to Donald's brashness and bluster and bullying, his harsh words, even the amoral ease with which untruths slid out of his mouth. She viewed these with a shrug—he was human, and he had his good points, and did Americans truly not know that human beings told lies? But they had followed him from the beginning, breathlessly and childishly. There were days when every television channel she switched to had his image on the screen. They did not understand that what he found unbearable was to be ignored, and for this she was grateful, because being in the news brought Donald the closest he could be to contentment. He would never be a truly content person,

Quand elle lui avait dit pour la première fois : « Tu vas gagner », en cette douce journée de Floride, l'année dernière, alors qu'elle buvait un Coca light en tenue de tennis, elle voulait dire qu'il gagnerait ce qu'il désirait : de la publicité, une expérience qui flatterait son amour-propre. Cela donnerait un coup de pouce à son émission de télé, et impressionnerait ceux de ses partenaires en affaires que la célébrité excitait. Mais elle n'avait jamais voulu dire qu'il allait réellement gagner la primaire des républicains, ni ne s'attendait au déchaînement médiatique dont il avait fait l'objet. Les Américains étaient si immatures sur le plan émotionnel, tellement fascinés par ce que les Européens savaient être des réalités désenchantées. Ils étaient attirés par le culot de Donald, ses fanfaronnades et son agressivité, et même par l'aisance dénuée de tout sens moral avec laquelle les contre-vérités sortaient de sa bouche. Elle-même accueillait ces dernières avec un haussement d'épaules – ce n'était qu'un homme, il avait ses bons côtés, et les Américains ignoraient-ils vraiment que les êtres humains mentent ? Mais ils l'avaient suivi dès le départ, retenant leur souffle, comme des gamins. Certains jours, toutes les chaînes de télévision sur lesquelles elle zappait affichaient son image. Ils ne comprenaient pas que ce qui lui était insupportable, c'était d'être ignoré, et heureusement se disait-elle, parce que pour Donald, faire la une des médias était ce qui se rapprochait le plus du bonheur. Il ne serait jamais quelqu'un de totalement satisfait,

she knew this, because of that primal restlessness that thrummed in him, the compulsion to prove something to himself that he feared he never would. It moved her, made her feel protective. Even the way he nursed his grudges, almost lovingly, unleashing in great detail slights from 20 years ago, made her protective of him. She often felt, despite the age gap of more than two decades, that she was older than Donald. Her response to his agitations was a curated series of soothing murmurs. Be a little calmer, she told him often. In bed, she had learned to gauge Donald and know when he expected her to gasp. On nights when she did not have the mental energy to act, she would tell Donald, "It is not a good night today," and he would kiss her cheek and leave, because he liked her air of delicate mystery.

⋆

The butler knocked and brought her lemon water on a tray. "Janelle is here, Mrs. Trump."

He did his characteristic almost-bow. He liked her, mostly because of how little she said, and how she encouraged an air of enigmatic formality.

"Thank you," she said.

elle le savait, à cause de cette agitation fondamentale qui bouillonnait en lui, ce besoin compulsif de se prouver qu'il était capable d'une chose qu'il craignait de ne jamais pouvoir atteindre. Cela l'émouvait, lui inspirait un sentiment protecteur. Même la façon dont il entretenait ses rancunes, presque avec amour, et dont il était capable de déballer les moindres détails d'affronts vieux de vingt ans, lui donnait envie de le protéger. Malgré leur différence d'âge de plus de deux décennies, elle avait souvent l'impression d'être plus vieille que lui. Elle répondait à ses gesticulations par une suite étudiée de murmures apaisants. Essaie de te calmer un peu, lui disait-elle souvent. Au lit, elle avait appris à jauger Donald et à savoir à quel moment il s'attendait à l'entendre soupirer. Les nuits où elle n'avait pas la force mentale de faire semblant, elle disait à Donald : « Aujourd'hui, ce n'est pas un bon soir », et il l'embrassait sur la joue et s'en allait, parce qu'il aimait son air délicatement mystérieux.

*

Le majordome frappa et lui apporta de l'eau parfumée au citron sur un plateau. « Janelle est arrivée, madame Trump. »

Il fit cette quasi-révérence dont il avait le secret. Il l'aimait bien, principalement parce qu'elle ne parlait pas beaucoup, et qu'elle entretenait une atmosphère cérémonieuse pleine de mystère.

« Merci », répondit-elle.

She applied concealer and lip gloss and highlighter, checked herself in the mirror. She had not worn makeup with Amy, her last instructor, but Janelle made her want to look attractive. After Amy moved to Los Angeles and recommended Janelle, Donald saw her—he was home on Janelle's first day and said: "Really? I didn't think they did that Pilates stuff. It's not like Pilates is hip-hop or whatever." She, too, was taken aback when she first saw Janelle, sinuous and small, skin the color of earth, locs pulled up in a bun. She's professional and discreet, Amy had said. Now, weeks in, Melania wished that Janelle were not so professional, so singularly focused on straightening Melania's feet, flattening Melania's belly, and never saying anything personal.

"Hi, Mrs. Trump. Ready for the warm-up?" Janelle asked, her face, as usual, a pleasant mask scrubbed of expression.

"Yes," Melania said.

Janelle was beside her on the mat, legs aloft. She smelled of grapefruit. Melania wanted to reach out and taste her—the smooth skin of her arm, her full, brownish-pink lips. She followed Janelle's lead and wondered about Janelle's life. Was there a boyfriend? Someone like her, dignified and quiet?

Elle appliqua un anticernes, du gloss pour les lèvres et un enlumineur, et vérifia son reflet dans le miroir. Elle ne portait pas de maquillage avec sa précédente coach, Amy, mais Janelle lui donnait envie d'être séduisante. Quand Amy avait déménagé à Los Angeles et recommandé Janelle, Donald – qui était à la maison le jour où celle-ci avait commencé – avait dit en la voyant : « Sans blague ! Je ne pensais pas qu'ils faisaient ce truc-là, le Pilates. C'est pas comme si c'était du hip-hop ou ce genre de truc. » Elle aussi s'était sentie décontenancée en voyant Janelle pour la première fois, petite et toute en courbes, la peau de la couleur de la terre, des dreadlocks remontées en chignon. Elle est professionnelle et discrète, avait dit Amy. À présent, passé quelques semaines, Melania aurait voulu que Janelle ne soit pas si professionnelle, si concentrée sur son unique mission : redresser les pieds de Melania, lui raffermir le ventre, et ne jamais rien dire de personnel.

« Bonjour, madame Trump. Prête pour les échauffements ? demanda Janelle, son visage arborant comme à l'accoutumée un masque agréable et dépourvu de toute expression.

— Oui », répondit Melania.

Janelle était à ses côtés sur le tapis, les jambes en l'air. Elle sentait le pamplemousse. Melania avait envie de la toucher, de la goûter : la peau douce de son bras, ses lèvres pleines, d'un rose tirant sur le brun. Tout en suivant les mouvements de Janelle, elle s'interrogeait sur sa vie. Avait-elle un petit ami ? Quelqu'un dans son genre, digne et réservé ?

Each time the Pilates session ended, she considered asking Janelle to stay for lunch, or just a glass of juice, but she feared that Janelle would say no.

"Oh, I must get a massage, for my thighs," Melania said, tentative, desperate to say something personal and yet safe.

"A warm bath should help," Janelle said. "Have a good day, Mrs. Trump."

Melania felt deflated. Had she expected Janelle to offer to give her a massage? It was so silly of her. Had Janelle meant anything more by "warm bath"? She was trying to read what was not there. But she would not allow herself to be sad. There was the evening to look forward to.

⋆

Her phone chimed. Another text from Donald.

Hope says fashion people are asking what you'll wear to convention. Has to be a big name. An American designer. Have you decided?

I have three and will choose tomorrow, she texted back.

Donald had never taken much interest in what she wore. Not like Tomaz, her ex, who had picked out her clothes and liked the smell of her sweat. Why had she suddenly thought of Tomaz? Tomaz smoked thin cigarettes and walked the world in an existential haze of disapproval.

À chaque fois que la séance de Pilates s'achevait, elle avait envie de demander à Janelle de rester déjeuner, ou juste boire un verre de jus de fruits, mais elle avait peur qu'elle ne refuse.

« Oh, j'aurai besoin d'un massage, pour mes cuisses, dit Melania avec hésitation, mourant d'envie de dire quelque chose de personnel tout en restant prudente.

— Un bain chaud devrait vous faire du bien, répondit Janelle. Bonne journée, madame Trump. »

Melania se sentit penaude. Avait-elle espéré que Janelle propose de lui faire un massage ? Quelle idiote ! Janelle avait-elle voulu dire quoi que ce soit d'autre en parlant de « bain chaud » ? Elle essayait d'interpréter quelque chose qui n'existait pas. Mais elle n'allait pas se laisser aller à la tristesse. Il y avait la perspective agréable de cette soirée.

*

Son téléphone sonna. Un nouveau texto de Donald.

Hope dit que les gens de la mode demandent ce que tu porteras à la convention. Faut que ce soit une grande marque. Un créateur américain. Tu as choisi ?

J'en ai trois et je choisirai demain, répondit-elle.

Donald ne s'était jamais beaucoup intéressé à ce qu'elle portait. Pas comme Tomaz, son ex, qui lui choisissait des vêtements et aimait l'odeur de sa sueur. Pourquoi pensait-elle à Tomaz, tout à coup ? Tomaz fumait des cigarettes fines et arpentait le monde drapé dans une attitude de désapprobation existentielle.

After she was interviewed in a French magazine some years ago, Tomaz had sent her an email through her sister Ines. Now you have what you always wanted, you have forgotten Ljubljana? It had annoyed her and of course she did not reply. Unlike Tomaz, Donald was not a sensual man. But it was what had attracted her to Donald in the beginning: He was not a man who traded in complexities. After brooding, Sartre-quoting Tomaz, Donald came as a relief.

She checked the time. Donald would be done with his luncheon. She would call, to remind him to be back on time. He sometimes forgot himself at these things.

"The dinner party?" he said. "Of course I'll be home."

"You want me to wear those first diamonds?" she asked, light and teasing. It was their joke; the first time they made love, she had worn nothing but those earrings. It had also been his first gift to her, in a pretty black box, and he asked her to open it, humming with a need for her gratitude. He was not eager to please her, she realized, he was keen to be pleased by her pleasure. And so she gave in, thanking him, wreathing her face with delight, even though she wished the diamonds were bigger.

Quand un magazine français avait publié une interview d'elle il y a quelques années, Tomaz lui avait adressé un e-mail par l'entremise d'Ines, la sœur de Melania. Maintenant que tu as ce que tu as toujours voulu, tu as oublié Ljubljana ? Cela l'avait contrariée, et bien sûr elle n'avait pas répondu. Contrairement à Tomaz, Donald n'était pas un homme sensuel. Mais c'était ce qui lui avait plu chez lui au départ : la complexité n'était pas son fonds de commerce. Après Tomaz le ténébreux, toujours à citer Sartre, Donald se révéla une forme de soulagement.

Elle vérifia l'heure. Donald devait avoir terminé son déjeuner. Elle allait l'appeler, lui rappeler de rentrer à temps. Il était parfois distrait pour ce genre de choses.

« Le dîner ? Bien sûr que je serai rentré, répondit-il.

— Veux-tu que je porte les premiers diamants ? » demanda-t-elle, sur un ton léger et aguicheur. C'était une plaisanterie entre eux : la première fois qu'ils avaient fait l'amour, elle ne portait rien d'autre que ces boucles d'oreilles. C'était aussi le premier cadeau qu'il lui avait fait, dans une jolie boîte noire. Il lui demanda de l'ouvrir, tout bredouillant d'impatience de la voir exprimer sa reconnaissance. Il n'était pas tant désireux de lui faire plaisir, réalisa-t-elle, que de pouvoir jouir de la satisfaction de lui avoir fait plaisir. Et elle capitula, le remercia en affichant une mine ravie, même si elle aurait préféré que les diamants soient plus gros.

"Yes, wear them. I bet those beauties have tripled in value," he said. "I have to go, honey, I'm meeting with the top five guys of the committee. They're all dying to talk to me."

She undressed and examined herself in the mirror. There was a new dimple in her thigh. Donald would say something if he noticed it. "You need to get these fixed soon," he had said a few months back, cupping her breasts, and when he got up from bed, she looked at his pale, slack belly, and the sprinkle of bristly hair on his back.

*

In the bath, sunk into scented foam, Melania settled down to read the latest coverage of Donald. There was a story about his money; they kept saying he did not have as much as he claimed to have. What did it matter? He had a lot. She glanced at the comments at the end of the article and the name "Janelle" caught her eye. The commenter wrote: Trump needs to modernize those ill-fitting suits, throw away the bottle of orange tan, get fake teeth that actually look like teeth and let himself go bald like God intended. How many Janelles were there in America? Of course it could not be her Janelle. Still, seeing the name excited her.

« Oui, mets-les. Je parie que ces beautés ont triplé de valeur, répondit-il. Il faut que j'y aille, chérie, j'ai rendez-vous avec les cinq grands patrons du comité. Ils meurent tous d'envie de me parler. »

Elle se déshabilla et s'examina dans le miroir. Un nouveau capiton était apparu sur sa cuisse. Donald allait faire une remarque s'il s'en apercevait. « Il faut que tu te les fasses arranger sans tarder », avait-il dit il y a quelques mois en soupesant ses seins, et quand il avait quitté le lit elle avait regardé son ventre pâle et mou, et les poils hérissés qui lui parsemaient le dos.

*

Dans son bain, immergée dans la mousse parfumée, Melania s'accorda un moment pour lire les derniers articles sur Donald. Il y avait un reportage au sujet de sa fortune : ils disaient toujours qu'il avait moins d'argent que ce qu'il prétendait. Et alors? Il en avait beaucoup. Elle jeta un coup d'œil aux commentaires en bas de l'article et le nom « Janelle » attira son attention. Le commentaire disait : Trump devrait moderniser ces costumes mal taillés, se débarrasser de son flacon d'autobronzant orange, se payer des fausses dents qui ressemblent vraiment à des dents, et accepter d'être chauve comme le Bon Dieu l'a fait. Combien pouvait-il y avoir de Janelle en Amérique? Cela ne pouvait pas être la sienne, bien sûr. Pourtant, tomber sur ce nom l'excita.

It was unfair that people made fun of Donald's hair but she could not help smiling, reading it, imagining her Janelle writing it.

There was a story about some of his angry supporters, displaying swastikas on their trucks, and she cringed reading it. Extremes of anything discomfited her. The day Donald announced he would run for president, she had been filled with light on their glorious descent in the escalator, eyes and cameras on them, and everything dazzling. Afterward, she escaped to the cool white of her bedroom, and lay still for a long time, and then looked online at the coverage. She loved the way her smoky eyes popped in the photographs. A heady sense of accomplishment suffused her. But she did not want too many more of those moments, because they shifted her balance, left her spirit vaguely disjointed.

She Googled herself and enlarged some of the photos. Why did some news sites choose the most unflattering images? It was deliberate. She was scrupulous about presenting the best angles of her face to the cameras, practicing the tilt to her neck that ensured a slim silhouette. Yet some photo editors were determined to use the few bad shots. They were jealous of Donald; nothing else could explain it.

Que les gens se moquent des cheveux de Donald était injuste, mais elle ne put s'empêcher de sourire en lisant ces lignes, imaginant Janelle en train de les écrire.

Il y avait un article sur certains de ses partisans les plus énervés, qui affichaient des croix gammées sur leurs camions, et elle se crispa en le lisant. L'extrémisme, dans quelque domaine que ce soit, provoquait chez elle un sentiment de malaise. Le jour où Donald avait annoncé sa candidature à la présidence, elle avait eu l'impression d'être habitée par la lumière tandis qu'ils descendaient l'escalator, auréolés de gloire, les regards et les caméras braqués sur eux, et que tout n'était que paillettes. Plus tard, elle se réfugia dans sa chambre blanche et fraîche, resta allongée immobile un long moment, puis regarda ce que les médias avaient publié sur Internet. Elle adorait la façon dont ses yeux charbonneux ressortaient sur les photos. Un sentiment grisant d'accomplissement s'empara d'elle. Mais elle ne voulait pas connaître trop de moments de ce genre, parce qu'ils perturbaient son équilibre, et la laissaient vaguement déboussolée.

Elle chercha son nom sur Google et agrandit quelques photos. Pourquoi certains sites d'actualité choisissaient-ils les images les moins flatteuses ? Ils le faisaient exprès. Elle mettait un point d'honneur à présenter son meilleur profil aux caméras, veillant à incliner le cou pour s'assurer une silhouette longiligne. Pourtant, certains rédacteurs tenaient à utiliser les rares mauvais clichés. Ils étaient jaloux de Donald : il ne pouvait y avoir d'autre explication.

She hoped Donald would not open her bedroom door tonight; this was the kind of day that he would come, exuberant and expansive from victory. It had been almost two months. The last time, he kissed her, eager and dramatic and sweaty as he often was—he hated her initiating things, "aggressive women make me think I'm with a transsexual," he'd told her years ago—and then fumbled and shifted and suddenly got up and said he had a phone call to make. Only then did she understand what had happened. They did not talk about it, but for a few days he had sulked and snapped, as though it were her fault.

⋆

Donald came home red-faced, his lips a snarl of rage. He ignored the butler's greeting. Melania kissed him hello and braced herself.

"Can you believe these losers? They're talking about 2020," he said. He flung his jacket down on the living room floor and she picked it up.

"What happened?" she asked.

"Reince pulled me aside after the meeting. He's a great guy, always nice to me. He said all the top guys at the R.N.C. have decided to focus on 2020, and put very little money and effort into my campaign. Like I don't even have a chance at all!"

Elle espérait que ce soir il n'ouvrirait pas la porte de sa chambre : c'était le genre de jour où il était susceptible de venir, rendu exubérant et expansif par la victoire. Cela faisait presque deux mois. La dernière fois, il l'avait embrassée, impatient, excessif et transpirant comme c'était souvent le cas – il détestait que ce soit elle qui prenne l'initiative : « Les femmes entreprenantes me donnent l'impression d'être avec un transsexuel », lui avait-il dit il y a des années – et puis il avait tâtonné, changé de position, et s'était redressé brusquement en déclarant qu'il avait un coup de fil à passer. Ce n'est qu'à ce moment-là qu'elle avait compris ce qui s'était passé. Ils n'en avaient pas parlé, mais pendant quelques jours il avait boudé et lui avait parlé sèchement, comme si c'était sa faute.

*

Donald rentra le visage rouge, un rictus de rage aux lèvres. Il ignora le bonsoir du majordome. Melania l'embrassa pour le saluer, et se prépara au choc.

« Non mais tu te rends compte de ces tocards ? Ils parlent de 2020 », fit-il. Il jeta sa veste par terre dans le salon, et elle la ramassa.

« Qu'est-ce qui s'est passé ? demanda-t-elle.

— Reince m'a pris à part avant la réunion. C'est un type super, il est toujours sympa avec moi. Il m'a dit que tous les grands chefs du CNR avaient décidé de se focaliser sur 2020, et de mettre très peu d'argent et d'efforts dans ma campagne. Comme si je n'avais carrément aucune chance !

"It makes no sense what they want to do. You have many votes. Look at the polls. People love you."

She knew how easily mollified he was by praise, but he barely seemed to hear her, consumed as he was, typing furiously on his phone. She hoped he would not hurl the phone at the wall, as he had done after a newspaper wrote about Trump University, after which he stayed up all night writing hasty, flagrant letters to journalists.

The doorbell rang and there was Ivanka, her face dewy as though she had not had a long day at work, lips crimson. Too crimson; Melania herself favored nude lipsticks. She imagined Ivanka sending money to Hillary Clinton's campaign, using a fake name. Could it be true? What name did she use? Thinking of a fake name made her think of Janelle.

"Hey!" Ivanka said. A general greeting, but she was looking at her father.

"Ivanka. What a surprise," Melania said.

"Ivanka wanted to come over to discuss this," Donald said, glancing up from his phone. He was only telling her now. He would expect her to ask Ivanka to dinner and she would have to endure Ivanka's polished voice, that fulsome surface that shielded cold metal.

— Ça n'a aucun sens, ce qu'ils veulent faire. Tu as beaucoup d'électeurs. Regarde les sondages. Les gens t'adorent. »

Elle savait à quel point il était facile à amadouer avec des compliments, mais il semblait à peine l'écouter, rongé qu'il était par la colère, tapotant furieusement sur le clavier de son téléphone. Elle espéra qu'il n'allait pas balancer celui-ci contre le mur, comme il l'avait fait quand un journal avait publié un article sur l'université Trump, à la suite de quoi il avait veillé toute la nuit à écrire aux journalistes des lettres irréfléchies et infamantes.

La sonnette retentit et c'était Ivanka, le teint frais comme si elle ne sortait pas d'une longue journée de travail, les lèvres écarlates. Trop écarlates. Melania quant à elle préférait les rouges à lèvres naturels. Elle se représenta Ivanka en train d'envoyer de l'argent à la campagne d'Hillary Clinton, sous un faux nom. Cela pouvait-il être vrai ? Quel nom utilisait-elle ? Imaginer un faux nom lui fit penser à Janelle.

« Salut ! » dit Ivanka. Elle s'adressait à la cantonade, mais regardait son père.

« Ivanka. Quelle surprise, répondit Melania.

— Ivanka voulait passer pour discuter de tout ça », fit Donald, levant brièvement les yeux de son téléphone. C'était seulement maintenant qu'il le lui disait. Il allait vouloir qu'elle invite Ivanka à dîner, et il lui faudrait supporter son ton soigneusement étudié, ce vernis d'obséquiosité qui dissimulait un cœur de métal glacé.

"Oh, what gorgeous flowers," Ivanka said. "Are they from Alessandra's, Dad?"

"No. I used another florist," Melania said. Ivanka's admiration pleased her, and she resented Ivanka for it.

"Can you just believe these losers?" Donald said testily, impatient with talk of flowers. "They want to sabotage me!"

Donald admired in his daughter qualities he would not abide in a wife. Not that Melania minded, she told herself, watching them. Ivanka moved like him, loose-limbed. Like him, she was comfortable with display. Like him, she was always selling something. The difference was that you knew what Donald was selling; Ivanka left you wondering.

"It's utter sabotage and unacceptable," Ivanka said.

"I've got to hit back at these guys."

"You do have to hit back, totally," Ivanka said. "We have to figure out the best way."

Why did she not calm him down? Melania was annoyed. Her evening would be ruined, Donald's churlish mood would darken her dinner, and he would probably leave after the main course, without apology. He had done it the day after Cruz beat him at a primary, and they had been with guests that he had invited.

"I'm leaving the Republican Party. That's it. If they're going to treat me this way. It's not nice. That's it," Donald said.

« Oh, quelles fleurs splendides, fit Ivanka. Elles viennent de chez Alessandra, papa ?

— Non, j'ai commandé chez un autre fleuriste », répondit Melania. L'admiration d'Ivanka lui faisait plaisir, et elle lui en voulut pour cela.

« Non mais tu te rends compte de ces tocards ? reprit Donald sur un ton irrité, s'impatientant de ces histoires de fleurs. Ils essaient de me saboter ! »

Donald admirait chez sa fille des qualités qu'il n'aurait pas tolérées chez une épouse. Non que cela importe à Melania, se dit-elle en les observant. Ivanka bougeait comme lui, avec souplesse. Comme lui, s'exposer ne la dérangeait pas. Comme lui, elle était toujours en train de vous vendre quelque chose. La différence, c'est qu'on savait ce que Donald vendait ; Ivanka, elle, entretenait le doute à ce sujet.

« C'est du pur sabotage, et c'est inacceptable, dit Ivanka.

— Je dois riposter contre ces types.

— Carrément, il faut que tu ripostes, répondit-elle. On doit trouver la meilleure façon de s'y prendre. »

Pourquoi n'essayait-elle pas de le calmer ? Melania était contrariée. Sa soirée serait gâchée, l'humeur revêche de Donald assombrirait son dîner, et il s'en irait sûrement après le plat principal, sans s'excuser. C'était ce qu'il avait fait le lendemain du jour où Cruz l'avait battu à une primaire, alors qu'ils recevaient des hôtes qu'il avait lui-même invités.

« Je quitte le Parti républicain. J'en ai assez. Si c'est comme ça qu'ils me traitent. Ce n'est pas bien. J'en ai assez, fit Donald.

"But you need the party," Melania said.

"This isn't Europe, honey. You don't know anything about this," Donald said and turned back to Ivanka.

She would not be annoyed, not with Ivanka to witness it. Donald used "Europe" to belittle her sometimes, but he also used "European" as Americans did, like an aspirational word. European chocolates. European bread. European style.

"Can we set up a three-way with Paul and Hope in the study, Dad?" Ivanka said, looking amused. "Is Barron in his room? I'll just go say a quick hi."

Melania felt an unreasonable urge to get up and drag Ivanka back. You do not go to my son's room without my permission!

If only Barron didn't like her. It was Ivanka with whom he discussed tennis and golf.

"Look, honey, can we do this dinner another time?" Donald said after Ivanka left. "I need to think about this. These losers can't do this to me. Your parents will be fine. They're here most of the time anyway, and I can fly them back in if they want to..."

He was still speaking, but she could no longer understand. A tightness had gripped her temples, her hands shook. "Donald, I want this," she said.

— Mais tu as besoin du parti, dit Melania.

— On n'est pas en Europe, chérie. Tu n'y connais rien », répondit Donald, et il se tourna à nouveau vers Ivanka.

Pas question de se laisser aller à la contrariété, pas avec Ivanka pour assister à la scène. Donald faisait parfois allusion à l'« Europe » pour la rabaisser, mais il utilisait aussi le terme « européen » à la façon des Américains, comme une référence. Les chocolats européens. Le pain européen. Le style européen.

« Est-ce qu'on peut organiser une rencontre tripartite avec Paul et Hope dans le bureau, papa ? fit Ivanka, qui avait l'air amusée. Est-ce que Barron est dans sa chambre ? Je vais juste passer lui dire un petit bonjour. »

Melania ressentit l'envie irrépressible et absurde de se lever et d'agripper Ivanka pour la retenir. Tu ne vas pas dans la chambre de mon fils sans ma permission !

Si au moins Barron ne l'aimait pas. C'était avec Ivanka qu'il discutait de tennis et de golf.

« Écoute, chérie, est-ce qu'on peut faire ce dîner un autre soir ? dit Donald après le départ d'Ivanka. Il faut que je réfléchisse à tout ça. Ces tocards n'ont pas le droit de me faire ça. Tes parents s'en remettront. Ils sont là tout le temps, de toute façon, et je peux les faire revenir par avion s'ils veulent... »

Il était encore en train de parler, mais elle n'était plus en mesure de comprendre. Elle avait soudain les tempes comprimées par la tension, ses mains tremblaient. « Donald, je veux ce dîner, dit-elle.

"We have not hosted my parents. It is 50 years of marriage for them. Their friends are coming. I have planned for one week. I want this today."

Donald looked up astonished from his phone. She dug her nails in her palm and stared back at him.

"O.K., O.K.," Donald said sighing. "Just give me some time to talk to Ivanka."

He went inside, and a new elation settled in Melania's bones.

They emerged half an hour later, Donald's face relaxed, Ivanka laughing, pushing her hair away from her face, fondly indulgent of her beloved man-child father.

"We can't keep letting them think you're going to be Caligula when you become president, Dad," Ivanka said.

"Whatever," Donald said with a grin. He turned to Melania. "Honey, we have a plan. I announce two days before the convention that I'm done with the party. My supporters don't care about the party anyway. It's Trump they want. If I'm an independent they'll still come to me. So that leaves the R.N.C. with one day to try and fix things. I'll give them a list of my conditions, they need to show me plans and figures for how they'll support my campaign, otherwise no deal. It'll knock them down.

Nous n'avons pas eu mes parents à la maison. Ce sont leurs cinquante ans de mariage. Leurs amis viennent. Ça fait une semaine que j'organise tout ça. Je veux ce dîner, ce soir. »

Donald leva les yeux de son téléphone, stupéfait. Elle s'enfonça les ongles dans la paume de la main et soutint son regard.

« O.K., O.K., fit Donald en soupirant. Laisse-moi juste le temps de parler à Ivanka. »

Il entra dans le bureau, et Melania se sentit envahie au plus profond d'elle-même par une euphorie d'un genre nouveau.

Ils réapparurent une demi-heure plus tard, Donald, les traits détendus, Ivanka qui riait en écartant ses cheveux de son visage, pleine d'indulgence affectueuse pour cet homme-enfant qui était son père adoré.

« On ne peut pas continuer à les laisser croire que tu vas être Caligula une fois élu président, papa, déclara-t-elle.

— Peu importe », fit Donald avec un large sourire. Il se tourna vers Melania. « Chérie, nous avons un plan. J'annonce deux jours avant la convention que je lâche le parti. Mes partisans se fichent du parti de toute façon. C'est Trump qu'ils veulent. Si je suis indépendant, ils me suivront quand même. Donc ça laisse une journée au CNR pour essayer d'arranger les choses. Je leur donnerai la liste de mes conditions, ils devront me montrer chiffres à l'appui comment ils ont l'intention de soutenir ma campagne, sinon il n'y aura pas d'accord. Ils vont en tomber à la renverse.

Let's see what they do with that!" He sounded gleeful.

Melania was startled. How could Ivanka have agreed to this? It would only lose him votes. His supporters were already with him, but what about the people who would vote for him only because of the Republican Party? Would that not turn them off? She opened her mouth to say something and then closed it. Ivanka had the smallest of triumphant smiles on her face. A well-oiled smile. Melania remembered that smooth smile at other times, when Donald insulted John McCain, when Donald boycotted a Republican debate. Ivanka always egged him on, never dissuaded him; she stirred the pot with her fulsome words.

But Donald was calmer and her evening would go well and her mother would be happy.

After dinner, she would ask Donald to come to her room, and she would be soft and subtle, and wear the jasmine scent he liked, and tell him Tiffany had come to her this morning, upset and crying, because she had discovered that Ivanka was supporting Hillary Clinton. She would suggest that Donald do and say nothing about it, hopefully none of the dishonest media people would find out, because of course it would be terrible if he had to publicly denounce his daughter, and Ivanka was so wonderful really,

On va bien voir ce qu'ils trouvent à répondre à ça ! » Il avait l'air joyeux.

Melania était interloquée. Comment Ivanka pouvait-elle avoir donné son accord là-dessus ? Ça ne ferait que lui faire perdre des voix. Ses partisans étaient déjà de son côté, mais qu'en était-il des gens qui ne voteraient pour lui que parce qu'il y avait le Parti républicain ? Est-ce que ça ne risquait pas de les décourager ? Elle ouvrit la bouche pour dire quelque chose, puis la referma. Ivanka arborait un imperceptible sourire triomphant. Un sourire bien rodé. Melania se souvint lui avoir vu cette même expression mielleuse à d'autres occasions, la fois où Donald avait insulté John McCain, celle où il avait boycotté un débat républicain. Ivanka l'aiguillonnait toujours, ne le dissuadait jamais. Elle attisait les braises avec ses paroles enjôleuses.

Mais Donald était calmé, et tout se passerait bien ce soir, et sa mère serait contente.

Après le dîner, elle demanderait à Donald de la rejoindre dans sa chambre, se montrerait douce et délicate, elle porterait le parfum au jasmin qu'il aimait, et elle lui raconterait que Tiffany était venue la voir ce matin, bouleversée et en larmes parce qu'elle avait découvert qu'Ivanka soutenait Hillary Clinton. Elle suggérerait à Donald de ne rien dire, de ne rien faire, ajouterait qu'avec un peu de chance, personne parmi ces gens malhonnêtes des médias ne découvrirait la chose, car bien sûr ce serait terrible s'il devait en arriver à dénoncer publiquement sa fille, et Ivanka était tellement fantastique, vraiment,

even though she was always telling the press how she didn't agree with all of her father's policies.

"Ivanka, will you join us for dinner?" Melania asked, knowing Ivanka would decline.

"Thanks, but I have to get back to the kids," Ivanka said.

Melania smiled sagely. "Of course. Say hello to the family."

The doorbell rang. Her guests had arrived.

même si elle était toujours en train de raconter à la presse qu'elle n'était pas d'accord avec toutes les options politiques de son père.

« Ivanka, veux-tu te joindre à nous pour dîner ? demanda Melania, sachant qu'elle refuserait.

— Merci, mais je dois rentrer retrouver les enfants », répondit-elle.

Melania lui adressa un sourire sage. « Bien sûr. Passe le bonjour à la famille. »

La sonnette retentit. Ses invités étaient arrivés.

Imitation
Imitation

Nkem is staring at the bulging, slanted eyes of the Benin mask on the living room mantel as she learns about her husband's girlfriend.

"She's really young. Twenty-one or so," her friend Ijemamaka is saying on the phone. "Her hair is short and curly—you know, those small tight curls. Not a relaxer. A texturizer, I think. I hear young people like texturizers now. I wouldn't tell you *sha,* I know men and their ways, but I heard she has moved into your house. This is what happens when you marry a rich man." Ijemamaka pauses and Nkem hears her suck in her breath—a deliberate, exaggerated sound. "I mean, Obiora is a good man, *of course,*" Ijemamaka continues. "But to bring his girlfriend into your house? No respect. She drives his cars all over Lagos. I saw her myself on Awolowo Road driving the Mazda."

Nkem observe les yeux globuleux et bridés du masque du Bénin, sur le manteau de la cheminée du salon, lorsqu'elle apprend que son mari a une petite amie.

« Elle est vraiment jeune. Dans les vingt et un ans, dit son amie Ijemamaka au téléphone. Elle a les cheveux courts et bouclés, des petites boucles serrées, tu vois ce que je veux dire. Pas un défrisage. Un assouplissement, je crois. Il paraît que les jeunes aiment les assouplissements, maintenant. Je ne t'aurais rien dit, *sha,* je connais les hommes et leurs façons, mais j'ai appris qu'elle avait emménagé chez toi. C'est ce qui arrive quand on épouse un homme riche. » Ijemamaka marque une pause et Nkem l'entend ravaler son souffle – en faisant un bruit délibérément exagéré. « Je veux dire, Obiora est un homme bien, *c'est entendu*, reprend Ijemamaka. Mais amener sa petite amie dans ta maison ? C'est un manque de respect. Elle circule dans tout Lagos au volant de ses voitures. Hier, je l'ai vue de mes yeux au volant de la Mazda à Awolowo Road.

"Thank you for telling me," Nkem says. She imagines the way Ijemamaka's mouth scrunches up, like a sucked-until-limp orange, a mouth wearied from talk.

"I had to tell you. What are friends for? What else could I *do*?" Ijemamaka says, and Nkem wonders if it is glee, that highness in Ijemamaka's tone, that inflection in "do."

For the next fifteen minutes, Ijemamaka talks about her visit to Nigeria, how prices have risen since the last time she was back—even *garri* is so expensive now. How so many more children hawk in traffic hold-ups, how erosion has eaten away chunks of the major road to her hometown in Delta State. Nkem clucks and sighs loudly at the appropriate times. She does not remind Ijemamaka that she, too, was back in Nigeria some months ago, at Christmas. She does not tell Ijemamaka that her fingers feel numb, that she wishes Ijemamaka had not called. Finally, before she hangs up, she promises to bring the children up to visit Ijemamaka in New Jersey one of these weekends—a promise she knows she will not keep.

She walks into the kitchen, pours herself a glass of water, and then leaves it on the table, untouched. Back in the living room, she stares at the Benin mask, copper-colored, its abstract features too big. Her neighbors call it "noble";

— Merci de m'avoir prévenue », dit Nkem. Elle imagine la bouche d'Ijemamaka qui se ratatine comme une orange sucée jusqu'à la dernière goutte, une bouche fatiguée d'avoir parlé.

« Il fallait que je te prévienne. À quoi servent les amies sinon ? Que pouvais-je faire *d'autre* ? » répond Ijemamaka, et Nkem se demande si c'est de la jubilation, cette note plus aiguë dans la voix d'Ijemamaka, cette inflexion sur « d'autre ».

Durant le quart d'heure qui suit, Ijemamaka parle de son séjour au Nigeria, des prix qui ont augmenté depuis sa visite précédente – même le *garri* est devenu terriblement cher. Des enfants tellement plus nombreux à vendre des marchandises dans les embouteillages, de l'érosion qui a déjà emporté de gros bouts de la route principale menant à sa ville natale, dans l'État du Delta. Nkem claque la langue et soupire bruyamment aux moments voulus. Elle ne rappelle pas à Ijemamaka qu'elle est rentrée au Nigeria il y a quelques mois, elle aussi, pour Noël. Elle ne dit pas à Ijemamaka qu'elle a les doigts gourds, qu'elle aurait préféré qu'elle n'appelle pas. Pour finir, avant de raccrocher, elle lui promet d'emmener les enfants la voir dans le New Jersey un de ces week-ends, sachant bien qu'elle ne tiendra pas cette promesse.

Elle va à la cuisine, se sert un verre d'eau puis l'abandonne sur la table, intact. De retour au salon, elle observe le masque du Bénin, sa couleur cuivrée, ses traits abstraits trop marqués. Ses voisins le qualifient de « noble » ;

because of it, the couple two houses down have started collecting African art, and they, too, have settled for good imitations, although they enjoy talking about how impossible it is to find originals.

Nkem imagines the Benin people carving the original masks four hundred years ago. Obiora told her they used the masks at royal ceremonies, placing them on either side of their king to protect him, to ward off evil. Only specially chosen people could be custodians of the mask, the same people who were responsible for bringing the fresh human heads used in burying their king. Nkem imagines the proud young men, muscled, brown skin gleaming with palm kernel oil, graceful loincloths on their waists. She imagines—and this she imagines herself because Obiora did not suggest it happened that way—the proud young men wishing they did not have to behead strangers to bury their king, wishing they could use the masks to protect themselves, too, wishing they had a say.

She was pregnant when she first came to America with Obiora. The house Obiora rented, and would later buy, smelled fresh, like green tea, and the short driveway was thick with gravel. We live in a lovely suburb near Philadelphia, she told her friends in Lagos on the phone.

c'est ce masque qui a poussé le couple qui habite deux maisons plus bas à collectionner l'art africain, et lui aussi se contente de bonnes imitations, bien que discutant volontiers de l'impossibilité qu'il y a à trouver des originaux.

Nkem imagine les Béninois sculptant les masques originaux il y a quatre cents ans de cela. Obiora lui a dit qu'ils se servaient des masques pour les cérémonies royales, qu'ils les plaçaient de part et d'autre de leur roi pour le protéger, repousser le mauvais œil. Seules des personnes choisies tout spécialement pouvaient être gardiens des masques ; elles étaient également chargées d'apporter les têtes humaines fraîches utilisées pour enterrer leur roi. Nkem imagine les fiers jeunes gens, musclés, la peau brune luisant d'huile de noyau de palme, un pagne gracieusement noué à la taille. Elle imagine – et cela c'est elle qui l'imagine car Obiora n'en a rien suggéré – les fiers jeunes gens regrettant de devoir décapiter des inconnus pour enterrer leur roi, regrettant de ne pouvoir utiliser les masques pour se protéger eux-mêmes, regrettant de ne pas avoir leur mot à dire.

Elle était enceinte lorsqu'elle est venue en Amérique avec Obiora pour la première fois. La maison qu'Obiora louait, dans l'idée de l'acheter plus tard, sentait le frais, le thé vert, et la petite allée était tapissée d'une épaisse couche de graviers. Nous habitons une charmante banlieue de Philadelphie, disait-elle au téléphone à ses amies de Lagos.

She sent them pictures of herself and Obiora near the Liberty Bell, proudly scrawled *very important in American history* behind the pictures, and enclosed glossy pamphlets featuring a balding Benjamin Franklin.

Her neighbors on Cherrywood Lane, all white and palehaired and lean, came over and introduced themselves, asked if she needed help with anything—getting a driver's license, a phone, a maintenance person. She did not mind that her accent, her foreignness, made her seem helpless to them. She liked them and their lives. Lives Obiora often called "plastic." Yet she knew he, too, wanted the children to be like their neighbors', the kind of children who sniffed at food that had fallen on the dirt, saying it was "spoiled." In her life, her childhood, you snatched the food up, whatever it was, and ate it.

Obiora stayed the first few months, so the neighbors didn't start to ask about him until later. Where was her husband? Was something wrong? Nkem said everything was fine. He lived in Nigeria *and* America; they had two homes. She saw the doubt in their eyes, knew they were thinking of other couples with second homes in places like Florida and Montreal, couples who inhabited each home at the same time, together.

Obiora laughed when she told him how curious the neighbors were about them.

Elle leur envoyait des photos d'Obiora et elle devant la Liberty Bell, en griffonnant fièrement au dos « *Très important dans l'histoire américaine* », et joignait des prospectus en papier glacé montrant un Benjamin Franklin à la calvitie naissante.

Ses voisins de Cherrywood Lane, tous blancs aux cheveux clairs, tous minces, vinrent se présenter, lui demandèrent si elle avait besoin d'aide pour quoi que ce soit – obtenir son permis de conduire, un téléphone, quelqu'un pour le ménage. Ça ne la gênait pas que son accent et le fait qu'elle soit étrangère leur fassent croire qu'elle était démunie. Ils lui plaisaient, eux et leurs vies. Des vies « en plastique », disait souvent Obiora. Pourtant elle savait que lui aussi souhaitait que leurs enfants soient comme ceux des voisins, le genre de gamins qui, s'ils font tomber quelque chose à manger par terre, plissent le nez en disant que c'est « gâché ». Dans sa vie à elle, dans son enfance, on ramassait et on mangeait, quel que soit l'aliment.

Obiora resta les premiers mois, aussi les voisins ne commencèrent-ils à poser des questions que plus tard. Où était son mari ? Y avait-il un problème ? Nkem disait que tout allait bien. Il habitait au Nigeria *et* en Amérique ; ils avaient deux foyers. Elle lisait le doute dans leurs yeux, savait qu'ils pensaient à d'autres couples ayant des résidences secondaires dans des lieux tels que la Floride et Montréal, des couples qui occupaient chacune des maisons ensemble et en même temps.

Obiora riait quand elle lui disait qu'ils attisaient la curiosité des voisins.

He said *oyibo* people were like that. If you did something in a different way, they would think you were abnormal, as though their way was the only possible way. And although Nkem knew many Nigerian couples who lived together, all year, she said nothing.

Nkem runs a hand over the rounded metal of the Benin mask's nose. One of the best imitations, Obiora had said when he bought it a few years ago. He told her how the British had stolen the original masks in the late 1800s during what they called the Punitive Expedition; how the British had a way of using words like "expedition" and "pacification" for killing and stealing. The masks—thousands, Obiora said—were regarded as "war booty" and were now displayed in museums all over the world.

Nkem picks up the mask and presses her face to it; it is cold, heavy, lifeless. Yet when Obiora talks about it—and all the rest—he makes them seem breathing, warm. Last year, when he brought the Nok terra-cotta that sits on the table in the hallway, he told her the ancient Nok people had used the originals for ancestor worship, placing them in shrines, offering them food morsels. And the British had carted most of those away, too, telling the people (newly christianized and stupidly blinded, Obiora said)

Il disait que les *oyibo* étaient comme ça. Dès qu'on faisait quelque chose différemment d'eux, ils vous trouvaient anormaux, comme si leur façon de faire était la seule possible. Et Nkem avait beau connaître de nombreux couples nigérians qui vivaient ensemble à longueur d'année, elle ne disait rien.

Nkem passe la main sur le nez en métal arrondi du masque du Bénin. Une imitation de premier ordre, avait dit Obiora lorsqu'il l'avait acheté, quelques années auparavant. Il lui avait dit que les Britanniques avaient volé les originaux à la fin du XIXe siècle lors de ce qu'ils avaient appelé l'Expédition punitive, que les Britanniques avaient le don d'utiliser des mots comme « expédition » et « pacification » pour désigner des massacres et des vols. Les masques – qui se comptaient par milliers, disait Obiora – étaient considérés comme « butin de guerre » et exposés aujourd'hui dans les musées du monde entier.

Nkem prend le masque et y appuie son visage ; il est froid, lourd, sans vie. Pourtant quand Obiora en parle – de celui-ci comme des autres – il leur donne une respiration, une chaleur. L'année dernière, quand il a apporté la céramique nok qui trône sur la table du hall, il lui a dit que l'ancien peuple nok se servait des originaux pour le culte des ancêtres, qu'ils les plaçaient dans des sanctuaires, leur offraient des aliments. Et là aussi, les Britanniques en avaient embarqué la plupart, racontant aux gens (récemment christianisés et complètement aveuglés, selon Obiora)

that the sculptures were heathen. We never appreciate what we have, Obiora always ended by saying, before repeating the story of the foolish head of state who had gone to the National Museum in Lagos and forced the curator to give him a four-hundred-year-old bust, which he then gave to the British queen as a present. Sometimes Nkem doubts Obiora's facts, but she listens, because of how passionately he speaks, because of how his eyes glisten as though he is about to cry.

She wonders what he will bring next week; she has come to look forward to the art pieces, touching them, imagining the originals, imagining the lives behind them. Next week, when her children will once again say "Daddy" to someone real, not a telephone voice; when she will wake up at night to hear snoring beside her; when she will see another used towel in the bathroom.

Nkem checks the time on the cable decoder. She has an hour before she has to pick up the children. Through the drapes that her housegirl, Amaechi, has so carefully parted, the sun spills a rectangle of yellow light onto the glass center table. She sits at the edge of the leather sofa and looks around the living room, remembers the delivery man from Ethan Interiors who changed the lampshade the other day. "You got a great house, ma'am," he'd said, with that curious American smile that meant he believed he, too, could have something like it someday.

que c'étaient des sculptures païennes. Nous n'apprécions jamais ce que nous avons, concluait toujours Obiora, avant de répéter l'histoire de cet imbécile de chef d'État qui était allé au Musée national de Lagos et avait forcé le conservateur à lui remettre un buste vieux de quatre cents ans, qu'il avait ensuite donné en cadeau à la reine d'Angleterre. Nkem a parfois des doutes sur les faits que rapporte Obiora mais elle l'écoute à cause de la passion avec laquelle il parle, de ses yeux qui brillent comme s'il allait pleurer.

Elle se demande ce qu'il apportera la semaine prochaine ; elle en est venue à attendre les œuvres d'art, avec l'envie de les toucher, d'imaginer les originaux, d'imaginer les vies qu'elles recèlent. La semaine prochaine, où ses enfants diront de nouveau « papa » à une personne réelle, et non à une voix au téléphone ; où elle entendra ronfler à côté d'elle lorsqu'elle se réveillera la nuit ; où elle verra une autre serviette utilisée dans la salle de bains.

Nkem regarde l'heure sur le décodeur du câble. Elle a encore une heure avant d'aller chercher les enfants. À travers les rideaux que la domestique, Amaechi, a écartés si soigneusement, le soleil jette un rectangle de lumière jaune sur la table en verre. Elle s'assied au coin du canapé de cuir et parcourt le salon du regard, se souvient du livreur d'Ethan Interiors qui a changé l'abat-jour l'autre jour. « Vous avez une maison superbe, madame », avait-il dit, avec ce drôle de sourire à l'américaine qui signifiait qu'il croyait que lui aussi pourrait en avoir une semblable un jour.

It is one of the things she has come to love about America, the abundance of unreasonable hope.

At first, when she had come to America to have the baby, she had been proudly excited because she had married into the coveted league, the Rich Nigerian Men Who Sent Their Wives to America to Have Their Babies league. Then the house they rented was put up for sale. A good price, Obiora said, before telling her they would buy. She liked it when he said "we," as though she really had a say in it. And she liked that she had become part of yet another league, the Rich Nigerian Men Who Owned Houses in America league.

They never decided that she would stay with the children—Okey was born three years after Adanna. It just happened. She stayed back at first, after Adanna, to take a number of computer courses because Obiora said it was a good idea. Then Obiora registered Adanna in preschool, when Nkem was pregnant with Okey. Then he found a good private elementary school and told her they were lucky it was so close. Only a fifteen-minute drive to take Adanna there. She had never imagined that her children would go to school, sit side by side with white children whose parents owned mansions on lonely hills, never imagined this life. So she said nothing.

Obiora visited almost every month, the first two years,

C'est une des choses qu'elle en est arrivée à adorer en Amérique, cette abondance d'espoir insensé.

Au début, quand elle était venue accoucher en Amérique, elle était fière et tout excitée parce que son mariage l'avait fait entrer dans un club très convoité, le club des Riches Nigérians Qui Envoient Leurs Épouses Accoucher en Amérique. Puis la maison qu'ils louaient avait été mise en vente. Un bon prix, avait dit Obiora, avant de lui apprendre qu'ils allaient l'acheter. Ça lui plaisait qu'il dise « nous », comme si elle avait réellement son mot à dire. Et ça lui plaisait d'être entrée dans un club de plus, le club des Riches Nigérians Propriétaires D'une Maison en Amérique.

Ils n'avaient jamais décidé qu'elle resterait avec les enfants – Okey était né trois ans après Adanna. Ça s'était fait comme ça, c'était tout. Elle était restée la première fois, après Adanna, pour prendre des cours d'informatique parce que Obiora avait dit que c'était une bonne idée. Puis Obiora avait inscrit Adanna à la maternelle, quand Nkem était enceinte d'Okey. Ensuite il avait trouvé une bonne école primaire et il lui avait dit qu'ils avaient de la chance qu'elle soit si proche. Seulement un quart d'heure de voiture pour y emmener Adanna. Elle n'avait jamais imaginé que ses enfants iraient à l'école, s'assiéraient côte à côte avec des enfants blancs dont les parents possédaient de grandes maisons sur des collines solitaires, n'avait jamais imaginé cette vie. Aussi n'avait-elle rien dit.

Les deux premières années, Obiora leur rendait visite presque tous les mois,

and she and the children went home at Christmas. Then, when he finally got the huge government contract, he decided he would visit only in the summer. For two months. He couldn't travel that often anymore, he didn't want to risk losing those government contracts. They kept coming, too, those contracts. He got listed as one of Fifty Influential Nigerian Businessmen and sent her the photocopied pages from *Newswatch*, and she kept them clipped together in a file.

Nkem sighs, runs her hand through her hair. It feels too thick, too old. She has planned to get a relaxer touch-up tomorrow, have her hair set in a flip that would rest around her neck the way Obiora likes. And she has planned, on Friday, to wax her pubic hair into a thin line, the way Obiora likes. She walks out into the hallway, up the wide stairs, then back downstairs and into the kitchen. She used to walk like this throughout the house in Lagos, every day of the three weeks she and the children spent at Christmas. She would smell Obiora's closet, run her hand over his cologne bottles, and push suspicions from her mind. One Christmas Eve, the phone rang and the caller hung up when Nkem answered. Obiora laughed and said, "Some young prankster." And Nkem told herself that it probably was a young prankster, or better yet, a sincere wrong number.

et elle rentrait à la maison avec les enfants pour Noël. Puis, lorsqu'il décrocha enfin son gros contrat avec le gouvernement, il décida de ne venir qu'en été. Pour deux mois. Il ne pouvait plus voyager aussi souvent, il ne voulait pas prendre le risque de rater ces contrats du gouvernement. Et ils tombaient sans cesse, ces contrats. Il se retrouva sur la liste des Cinquante Hommes d'Affaires Nigérians Qui Comptent et se mit à lui envoyer des photocopies de *Newswatch*, qu'elle gardait dans un dossier, sous trombones.

Nkem soupire, passe la main dans ses cheveux. Elle les trouve trop épais, trop vieux. Elle a prévu une retouche de défrisage demain, en faisant coiffer ses cheveux avec des boucles qui rebiquent contre le cou, comme l'aime Obiora. Et elle a prévu, vendredi, d'épiler son pubis en dessinant une fine bande, comme l'aime également Obiora. Elle sort dans le hall, monte le large escalier, puis redescend et va à la cuisine. Elle déambulait comme ça dans la maison de Lagos, tous les jours des trois semaines qu'elle y passait à Noël avec les enfants. Elle reniflait le placard d'Obiora, passait la main sur ses flacons d'eau de Cologne et chassait les soupçons de son esprit. Un soir de Noël, le téléphone avait sonné et la personne raccroché quand Nkem avait répondu. Obiora avait dit en riant : « Ça doit être un jeune plaisantin. » Et Nkem s'était dit que ça devait être un jeune plaisantin ou, mieux encore, une véritable erreur de numéro.

Nkem walks back upstairs and into the bathroom, smells the pungent Lysol that Amaechi has just used to clean the tiles. She stares at her face in the mirror; her right eye looks smaller than the left. "Mermaid eyes," Obiora calls them. He thinks that mermaids, not angels, are the most beautiful creatures. Her face has always made people talk—how perfectly oval it is, how flawless the dark skin—but Obiora's calling her eyes mermaid eyes used to make her feel newly beautiful, as though the compliment gave her another set of eyes.

She picks up the scissors, the one she uses to cut Adanna's ribbons into neater bits, and raises it to her head. She pulls up clumps of hair and cuts close to the scalp, leaving hair about the length of her thumbnail, just enough to tighten into curls with a texturizer. She watches the hair float down, like brown cotton wisps falling on the white sink. She cuts more. Tufts of hair float down, like scorched wings of moths. She wades in further. More hair falls. Some gets into her eyes and itches. She sneezes. She smells the Pink Oil moisturizer she smoothed on this morning and thinks about the Nigerian woman she met once—Ifeyinwa or Ifeoma, she cannot remember now—at a wedding in Delaware, whose husband lived in Nigeria, too, and who had short hair, although hers was natural, no relaxer or texturizer.

Nkem remonte et va à la salle de bains, sent l'odeur âcre du Lysol avec lequel Amaechi vient de laver le carrelage. Elle fixe du regard son visage dans la glace ; son œil droit paraît plus petit que le gauche. « Des yeux de sirène », les appelle Obiora. Il trouve que les sirènes, et non les anges, sont les plus belles des créatures. Le visage de Nkem a toujours suscité des commentaires – la perfection de son ovale, sa peau foncée, sans un défaut – mais quand Obiora appclait ses yeux des yeux de sirène elle se sentait une beauté nouvelle, comme si le compliment lui donnait une autre paire d'yeux.

Elle attrape les ciseaux, ceux dont elle se sert pour tailler des bouts plus nets aux rubans d'Adanna, et les porte à sa tête. Elle empoigne des touffes de cheveux et coupe près du cuir chevelu, en en laissant la hauteur de son ongle de pouce, juste assez long pour faire une boucle avec un assouplissement. Elle regarde les cheveux dégringoler en voltigeant, telles des mèches de coton brun qui tombent dans le lavabo blanc. Elle coupe davantage. Des touffes de cheveux voltigent, pareilles à des ailes de papillon de nuit brûlées. Elle s'enfonce encore. Plus de cheveux tombent. Certains lui entrent dans les yeux et la piquent. Elle éternue. Elle sent l'odeur de l'hydratant Pink Oil qu'elle a mis ce matin et repense à la Nigériane qu'elle a rencontrée une fois – Ifeyinwa ou Ifeoma, elle ne s'en souvient plus – à un mariage dans le Delaware, dont le mari vivait lui aussi au Nigeria et qui portait ses cheveux courts, mais naturels, sans défrisage ni assouplissement.

The woman had complained, saying "our men," familiarly, as though Nkem's husband and hers were somehow related to each other. Our men like to keep us here, she had told Nkem. They visit for business and vacations, they leave us and the children with big houses and cars, they get us housegirls from Nigeria who we don't have to pay any outrageous American wages, and they say business is better in Nigeria and all that. But you know why they won't move here, even if business were better here? Because America does not recognize Big Men. Nobody says "Sir! Sir!" to them in America. Nobody rushes to dust their seats before they sit down.

Nkem had asked the woman if she planned to move back and the woman turned, her eyes round, as though Nkem had just betrayed her. But how can I live in Nigeria again? she said. When you've been here so long, you're not the same, you're not like the people there. How can my children blend in? And Nkem, although she disliked the woman's severely shaved eyebrows, had understood.

Nkem lays the scissors down and calls Amaechi to clean up the hair.

"Madam!" Amaechi screams. "*Chim o!* Why did you cut your hair? What happened?"

La femme s'était plainte en disant « nos hommes » avec familiarité, comme si le mari de Nkem et le sien avaient on ne sait quel lien de parenté. Nos hommes aiment nous garder ici, avait-elle dit à Nkem. Ils viennent pour affaires et en vacances, ils nous laissent ici nous et les enfants avec des voitures et des grandes maisons, ils nous trouvent des bonnes du Nigeria à qui on n'est pas obligés de payer des salaires américains exorbitants, et ils disent que les affaires marchent mieux au Nigeria et tout ça. Mais vous savez pourquoi ils ne voudraient pas s'installer ici, même si c'était ici que les affaires étaient les meilleures ? Parce que l'Amérique ne reconnaît pas les Hommes Importants. Personne ne leur dit : « Monsieur ! Monsieur ! » en Amérique. Personne ne se précipite pour épousseter leurs sièges avant qu'ils s'assoient.

Nkem avait demandé à la femme si elle comptait rentrer et la femme avait fait les yeux ronds, comme si Nkem venait de la trahir. Mais comment voulez-vous que je revive au Nigeria ? avait-elle dit. Quand on a vécu si longtemps ici, on n'est plus pareil, on n'est plus comme les gens de là-bas. Comment mes enfants peuvent-ils s'intégrer ? Et Nkem, même si elle détestait la sévérité des sourcils rasés de la femme, avait compris.

Elle pose les ciseaux et appelle Amaechi pour lui dire de balayer les cheveux.

« Madame ! hurle Amaechi. *Chim o!* Pourquoi avez-vous coupé vos cheveux ? Qu'est-ce qui s'est passé ?

"Does something have to happen before I cut my hair? Clean up the hair!"

Nkem walks into her room. She stares at the paisley cover pulled sleek across the king-size bed. Even Amaechi's efficient hands can't hide the flatness on one side of the bed, the fact that it is used only two months of the year. Obiora's mail is in a neat pile on his nightstand, credit card preapprovals, flyers from LensCrafters. The people who matter know he really lives in Nigeria.

She comes out and stands by the bathroom as Amaechi cleans up the hair, reverently brushing the brown strands into a dustpan, as though they are potent. Nkem wishes she had not snapped. The madam/housegirl line has blurred in the years she has had Amaechi. It is what America does to you, she thinks. It forces egalitarianism on you. You have nobody to talk to, really, except for your toddlers, so you turn to your housegirl. And before you know it, she is your friend. Your equal.

"I had a difficult day," Nkem says, after a while. "I'm sorry."

"I know, madam, I see it in your face," Amaechi says, and smiles.

The phone rings and Nkem knows it is Obiora. Nobody else calls this late.

— Est-ce qu'il faut qu'il se passe quelque chose pour que je me coupe les cheveux ? Balaie les cheveux ! »

Nkem va dans sa chambre. Elle fixe le couvre-lit à motifs cachemire parfaitement tendu sur le lit king size. Même la main experte d'Amaechi ne peut masquer le fait qu'un côté du lit est plat, qu'il ne sert que deux mois par an. Le courrier d'Obiora est soigneusement empilé sur sa table de chevet, des approbations préalables de carte de crédit, des prospectus des opticiens LensCrafters. Les gens qui comptent savent qu'il vit réellement au Nigeria.

Elle sort et reste debout près de la salle de bains pendant qu'Amaechi balaie les cheveux, rassemblant les mèches brunes dans une pelle avec révérence, comme si elles étaient puissantes. Nkem regrette d'avoir été cassante. La frontière madame/bonne s'est estompée depuis toutes ces années qu'elle a Amaechi. C'est ce que vous fait l'Amérique, pense-t-elle. Elle vous impose l'égalitarisme. Vous n'avez personne à qui parler, en fait, à part vos jeunes enfants, alors vous vous tournez vers votre bonne. Et sans que vous vous en rendiez compte, elle devient votre amie. Votre égale.

« J'ai passé une mauvaise journée, dit Nkem au bout d'un moment. Je suis désolée.

— Je sais, madame, je le vois à votre visage », répond Amaechi, qui sourit.

Le téléphone sonne et Nkem sait que c'est Obiora. Personne d'autre n'appelle si tard.

"Darling, *kedu*?" he says. "Sorry, I couldn't call earlier. I just got back from Abuja, the meeting with the minister. My flight was delayed until midnight. It's almost two a.m. now. Can you believe that?"

Nkem makes a sympathetic sound.

"Adanna and Okey *kwanu*?" he asks.

"They are fine. Asleep."

"Are you sick? Are you okay?" he asks. "You sound strange."

"I'm all right." She knows she should tell him about the children's day, she usually does when he calls too late to talk to them. But her tongue feels bloated, too heavy to let the words roll out.

"How was the weather today?" he asks.

"Warming up."

"It better finish warming up before I come," he says, and laughs. "I booked my flight today. I can't wait to see you all."

"Do you—?" she starts to say, but he cuts her off.

"Darling, I have to go. I have a call coming in, it's the minister's personal assistant calling at this time! I love you."

"I love you," she says, although the phone is already dead. She tries to visualize Obiora, but she can't because she is not sure if he is at home, in his car, somewhere else. And then she wonders if he is alone, or if he is with the girl with the short curly hair.

« Chérie, *kedu*? dit-il. Désolé, je n'ai pas pu appeler plus tôt. Je viens de rentrer d'Abuja, de la réunion avec le ministre. Mon vol a été repoussé jusqu'à minuit. Il est presque deux heures du matin, maintenant. Tu te rends compte? »

Nkem émet un son compatissant.

« Adanna et Okey *kwanu*? demande-t-il.

— Ils vont bien. Ils dorment.

— Tu es malade? Ça va? demande-t-il. Je te trouve bizarre.

— Ça va. » Elle sait qu'elle devrait lui raconter la journée des enfants, comme elle le fait d'habitude quand il appelle trop tard pour leur parler. Mais elle a l'impression d'avoir la langue gonflée, trop lourde pour laisser les mots sortir.

« Quel temps a-t-il fait aujourd'hui? demande-t-il.

— Ça se réchauffe.

— Il y a intérêt à ce que ça finisse de se réchauffer d'ici à ce que j'arrive, dit-il en riant. J'ai réservé mon vol aujourd'hui. Je suis impatient de vous voir tous.

— Est-ce que...? commence-t-elle, mais il l'interrompt.

— Chérie, il faut que j'y aille. J'ai un appel, c'est l'assistant personnel du ministre qui m'appelle à cette heure-ci! Je t'aime.

— Je t'aime », dit-elle, bien que ça ait déjà coupé. Elle essaie de se représenter Obiora en cet instant, mais elle n'y arrive pas car elle ne sait pas s'il est à la maison, dans sa voiture ou ailleurs. Puis elle se demande s'il est seul, ou avec la fille aux cheveux courts et bouclés.

Her mind wanders to the bedroom in Nigeria, hers and Obiora's, that still feels like a hotel room every Christmas.

Does this girl clutch her pillow in sleep? Do this girl's moans bounce off the vanity mirror? Does this girl walk to the bathroom on tiptoe as she herself had done as a single girl when her married boyfriend brought her to his house for a wife-away weekend?

She dated married men before Obiora—what single girl in Lagos hadn't? Ikenna, a businessman, had paid her father's hospital bills after the hernia surgery. Tunji, a retired army general, had fixed the roof of her parents' home and bought them the first real sofas they had ever owned. She would have considered being his fourth wife—he was a Muslim and could have proposed—so that he would help her with her younger siblings' education. She was the *ada*, after all, and it shamed her, even more than it frustrated her, that she could not do any of the things expected of the First Daughter, that her parents still struggled on the parched farm, that her siblings still hawked loaves of bread at the motor park. But Tunji did not propose. There were other men after him, men who praised her baby skin,

Son esprit part vers leur chambre à coucher du Nigeria, à Obiora et elle, qui lui fait l'effet d'une chambre d'hôtel à chaque Noël.

Cette fille serre-t-elle son oreiller en dormant? Les gémissements de cette fille ricochent-ils contre le miroir de courtoisie? Cette fille va-t-elle à la salle de bains sur la pointe des pieds, comme elle-même le faisait, célibataire, quand son petit ami marié l'amenait chez lui pour un week-end sans l'épouse?

Elle était sortie avec des hommes mariés avant Obiora – quelle fille célibataire de Lagos ne l'a pas fait? Ikenna, un homme d'affaires, avait payé la note d'hôpital de son père après son opération de la hernie. Tunji, général de l'armée de terre à la retraite, avait fait réparer le toit de la maison de ses parents et leur avait acheté les premiers véritables canapés qu'ils aient jamais eus. Elle aurait envisagé de devenir sa quatrième épouse – il était musulman et aurait pu lui demander sa main – pour qu'il l'aide à assurer l'éducation de ses frères et sœurs cadets. Elle était l'*ada*, après tout, et cela lui donnait un sentiment de honte, plus encore que de défaite, de ne pouvoir faire aucune des choses qui étaient attendues de la Première Fille, de voir ses parents continuer à se battre sur la ferme brûlée par le soleil et ses frères et sœurs vendre des pains sur le parking. Mais Tunji ne lui demanda pas sa main. Il y avait eu d'autres hommes après lui, des hommes qui la complimentaient sur sa peau de bébé,

men who gave her fleeting handouts, men who never proposed because she had gone to secretarial school, not a university. Because despite her perfect face she still mixed up her English tenses; because she was still, essentially, a Bush Girl.

Then she met Obiora on a rainy day when he walked into the reception area of the advertising agency and she smiled and said, "Good morning, sir. Can I help you?" And he said, "Yes, please make the rain stop." Mermaid Eyes, he called her that first day. He did not ask her to meet him at a private guesthouse, like all the other men, but instead took her to dinner at the vibrantly public Lagoon restaurant, where anybody could have seen them. He asked about her family. He ordered wine that tasted sour on her tongue, telling her, "You will come to like it," and so she made herself like the wine right away. She was nothing like the wives of his friends, the kind of women who went abroad and bumped into each other while shopping at Harrods, and she held her breath waiting for Obiora to realize this and leave her. But the months passed and he had her siblings enrolled in school and he introduced her to his friends at the boat club and he moved her out of the self-contained in Ojota and into a real flat with a balcony in Ikeja.

des hommes qui lui faisaient des dons de temps à autre, des hommes qui ne lui demandaient jamais sa main parce qu'elle avait fait une école de secrétariat, et non l'université. Parce que, malgré la perfection de son visage, elle s'emmêlait toujours dans ses temps en anglais ; parce qu'elle était toujours, fondamentalement, une fille de la brousse.

Puis elle avait rencontré Obiora un jour de pluie où il était entré dans le hall de l'agence de publicité ; elle lui avait souri et dit : « Bonjour, monsieur. Est-ce que je peux vous aider ? » Et il avait répondu : « Oui, s'il vous plaît, faites cesser la pluie. » Yeux de Sirène, l'avait-il appelée ce premier jour. Il ne lui avait pas demandé de le retrouver dans une pension privée, comme tous les autres, mais au contraire il l'avait emmenée dîner au Lagoon, restaurant on ne peut plus public et animé, où n'importe qui aurait pu les voir. Il lui avait posé des questions sur sa famille. Il avait commandé du vin, qu'elle avait trouvé aigre, en lui disant : « Tu verras que tu y prendras goût », alors elle s'était forcée à aimer le vin tout de suite. Elle n'avait rien de commun avec les épouses de ses amis, le genre de femmes qui allaient à l'étranger et se rencontraient par hasard en faisant leur shopping chez Harrods, et elle restait sur le qui-vive en attendant qu'Obiora s'en rende compte et la quitte. Mais les mois avaient passé et il avait inscrit ses frères et sœurs à l'école, l'avait présentée à ses amis du club nautique, l'avait sortie de son petit studio d'Ojota pour l'installer dans un vrai appartement avec balcon à Ikeja.

When he asked if she would marry him, she thought how unnecessary it was, his asking, since she would have been happy simply to be told.

Nkem feels a fierce possessiveness now, imagining this girl locked in Obiora's arms, on their bed. She puts the phone down, tells Amaechi she will be right back, and drives to Walgreens to buy a carton of texturizer. Back in the car, she turns the light on and stares at the carton, at the picture of the women with tightly curled hair.

Nkem watches Amaechi slice potatoes, watches the thin skin descend in a translucent brown spiral.

"Be careful. You are peeling it so close," she says.

"My mother used to rub yam peel on my skin if I took away too much yam with the peel. It itched for days," Amaechi says with a short laugh. She is cutting the potatoes into quarters. Back home, she would have used yams for the *ji akwukwo* pottage, but here there are hardly any yams at the African store—real African yams, not the fibrous potatoes the American supermarkets sell as yams. Imitation yams, Nkem thinks, and smiles. She has never told Amaechi how similar their childhoods were. Her mother may not have rubbed yam peels on her skin, but then there were hardly any yams.

Lorsqu'il lui demanda si elle voulait bien l'épouser, elle songea que c'était vraiment inutile qu'il lui pose la question, vu qu'elle aurait été heureuse qu'il se contente de l'en informer.

À présent, Nkem se sent férocement possessive en imaginant cette fille dans les bras d'Obiora, sur leur lit. Elle raccroche le téléphone, dit à Amaechi qu'elle revient tout de suite et part au Walgreens acheter un assouplisseur. De retour dans sa voiture, elle allume la lumière et fixe longuement le paquet, avec la photo des femmes aux petites boucles serrées.

Nkem regarde Amaechi couper les pommes de terre, regarde la fine pelure qui descend en spirale brune translucide.

« Fais attention, dit-elle. Tu épluches si près.

— Ma mère me frottait des pelures d'igname sur la peau quand j'enlevais trop de chair en épluchant. Ça me grattait pendant des jours », dit Amaechi avec un petit rire. Elle découpe les pommes de terre en quartiers. Au pays, elle aurait pris des ignames pour le ragoût de *ji akwukwo,* mais ici il n'y a pratiquement pas d'ignames au magasin africain – de vraies ignames africaines, pas ces patates douces fibreuses que les supermarchés américains vendent sous le nom d'igname. Des imitations d'igname, pense Nkem, et ça la fait sourire. Elle n'a jamais dit à Amaechi à quel point elles avaient eu des enfances similaires. Sa mère ne lui avait peut-être pas frotté des pelures d'igname sur la peau, mais il faut dire qu'il n'y avait pratiquement jamais d'ignames.

Instead, there was improvised food. She remembers how her mother plucked plant leaves that nobody else ate and made a soup with them, insisting they were edible. They always tasted, to Nkem, like urine, because she would see the neighborhood boys urinating on the stems of those plants.

"Do you want me to use the spinach or the dried *onugbu*, madam?" Amaechi asks. She always asks, when Nkem sits in as she cooks. Do you want me to use the red onion or the white? Beef broth or chicken?

"Use whichever you like," Nkem says. She does not miss the look Amaechi darts her. Usually Nkem will say use that or use this. Now she wonders why they go through the charade, who they are trying to fool; they both know that Amaechi is much better in the kitchen than she is.

Nkem watches as Amaechi washes the spinach in the sink, the vigor in Amaechi's shoulders, the wide solid hips. She remembers the shy, eager sixteen-year-old Obiora brought to America, who for months remained fascinated by the dishwasher. Obiora had employed Amaechi's father as a driver, bought him his own motorcycle and said Amaechi's parents had embarrassed him, kneeling down on the dirt to thank him, clutching his legs.

Ce qu'il y avait, c'était de la nourriture improvisée. Elle se souvient que sa mère cueillait les feuilles de plantes que personne d'autre ne mangeait et qu'elle en faisait de la soupe, en affirmant qu'elles étaient comestibles. Nkem leur trouvait toujours un goût d'urine parce qu'elle voyait les garçons du quartier pisser sur les tiges de ces plantes.

« Vous voulez que je mette des épinards ou de l'*onugbu* séché, madame ? » demande Amaechi. Elle demande toujours, quand Nkem reste avec elle à la cuisine. Vous voulez que je mette de l'oignon rouge ou blanc ? Du bouillon de bœuf ou de poule ?

« Mets ce que tu veux », répond Nkem, et le coup d'œil que lui lance Amaechi ne lui échappe pas. D'habitude, Nkem dit « mets ci » ou « mets ça ». Maintenant elle se demande pourquoi elles se livrent à ce jeu, et qui elles essaient de tromper ; elles savent toutes les deux qu'Amaechi cuisine bien mieux qu'elle.

Nkem regarde Amaechi laver les épinards dans l'évier, la vigueur des épaules d'Amaechi, ses hanches larges et solides. Elle se souvient de la jeune fille timide et appliquée qu'Obiora avait amenée en Amérique à l'âge de seize ans, qui était restée plusieurs mois fascinée par le lave-vaisselle. Obiora avait engagé le père d'Amaechi comme chauffeur ; il lui avait acheté une moto rien que pour lui et il avait raconté que les parents d'Amaechi l'avaient gêné en s'agenouillant dans la poussière et lui serrant les jambes pour le remercier.

Amaechi is shaking the colander full of spinach leaves when Nkem says, "Your *oga* Obiora has a girlfriend who has moved into the house in Lagos."

Amaechi drops the colander into the sink. "Madam?"

"You heard me," Nkem says. She and Amaechi talk about which Rugrats character the children mimic best, how Uncle Ben's is better than basmati for *jollof* rice, how American children talk to elders as if they were their equals. But they have never talked about Obiora except to discuss what he will eat, or how to launder his shirts, when he visits.

"How do you know, madam?" Amaechi asks finally, turning around to look at Nkem.

"My friend Ijemamaka called and told me. She just got back from Nigeria."

Amaechi is staring at Nkem boldly, as though challenging her to take back her words. "But madam—is she sure?"

"I am sure she would not lie to me about something like that," Nkem says, leaning back on her chair. She feels ridiculous. To think that she is affirming that her husband's girlfriend has moved into her home. Perhaps she should doubt it; she should remember Ijemamaka's brittle envy, the way Ijemamaka always has something tear-her-down to say. But none of this matters, because she knows it is true:

Amaechi est en train de secouer la passoire pleine d'épinards quand Nkem lui dit : « Ton *oga* Obiora a une petite amie qui s'est installée dans la maison de Lagos. »

Amaechi fait tomber la passoire dans l'évier. « Madame ?

— Tu m'as entendue », dit Nkem. Amaechi et elle parlent des personnages des *Razmoket* que les enfants imitent le mieux, du Uncle Ben's qui est meilleur que le basmati pour le riz *jollof*, des enfants américains qui s'adressent à leurs aînés comme s'ils étaient leurs égaux. Mais elles n'ont jamais parlé d'Obiora, si ce n'est pour discuter de ce qu'il va manger ou de comment laver ses chemises, quand il est là.

« Comment le savez-vous, madame ? finit par demander Amaechi, qui se retourne pour regarder Nkem.

— C'est mon amie Ijemamaka qui me l'a dit. Elle m'a appelée. Elle vient de rentrer du Nigeria. »

Amaechi fixe Nkem avec aplomb, comme pour la sommer de retirer ce qu'elle vient de dire. « Mais, madame, est-ce qu'elle en est sûre ?

— Je suis sûre qu'elle ne me mentirait pas pour une chose pareille », répond Nkem en se calant contre le dossier de sa chaise. Elle se sent ridicule. Dire qu'elle est là à soutenir que la petite amie de son mari a emménagé chez elle. Elle devrait peut-être en douter ; elle devrait se rappeler la jalousie cassante d'Ijemamaka, la façon dont celle-ci trouve toujours le mot pour la démolir. Mais tout ça n'a pas d'importance, car elle sait que c'est vrai :

a stranger is in her home. And it hardly feels right, referring to the house in Lagos, in the Victoria Garden City neighborhood where mansions skulk behind high gates, as home. *This* is home, this brown house in suburban Philadelphia with sprinklers that make perfect water arcs in the summer.

"When *oga* Obiora comes next week, madam, you will discuss it with him," Amaechi says with a resigned air, pouring vegetable oil into a pot. "He will ask her to move out. It is not right, moving her into your house."

"So after he moves her out, then what?"

"You will forgive him, madam. Men are like that."

Nkem watches Amaechi, the way her feet, encased in blue slippers, are so firm, so flatly placed on the ground. "What if I told you that he has a girlfriend? Not that she has moved in, only that he has a girlfriend."

"I don't know, madam." Amaechi avoids Nkem's eyes. She pours onion slices into the sizzling oil and backs away at the hissing sound.

"You think your *oga* Obiora has always had girlfriends, don't you?"

Amaechi stirs the onions. Nkem senses the quiver in her hands.

"It is not my place, madam."

"I would not have told you if I did not want to talk to you about it, Amaechi."

il y a une étrangère chez elle. Et ça lui fait un peu drôle de dire « chez moi » en parlant de la maison de Lagos, dans le quartier de Victoria Garden City où les grandes demeures boudent derrière leurs hautes grilles. *C'est ici*, chez elle, cette maison marron de la banlieue de Philadelphie, avec ses arroseurs qui tracent des arcs parfaits en été.

« Quand *oga* Obiora viendra la semaine prochaine, madame, vous en discuterez avec lui, dit Amaechi, l'air résigné, tout en versant de l'huile végétale dans une casserole. Il lui demandera de partir. Ce n'est pas correct de l'avoir installée dans votre maison.

— Et quand il l'aura fait partir, et après ?

— Vous lui pardonnerez, madame. Les hommes sont comme ça. »

Nkem observe Amaechi et ses pieds pris dans des chaussons bleus, bien à plat, si fermement plantés dans le sol. « Et si je vous disais qu'il a une petite amie ? Pas qu'elle a emménagé, juste qu'il a une petite amie.

— Je ne sais pas, madame. » Amaechi évite le regard de Nkem. Elle jette des rondelles d'oignons dans l'huile brûlante et recule en l'entendant crépiter.

« Tu penses que ton *oga* Obiora a toujours eu des petites amies, hein ? »

Amaechi remue les oignons. Nkem perçoit le tremblement de ses mains.

« Ce n'est pas ma place, madame.

— Je ne te l'aurais pas dit si je ne voulais pas en parler avec toi, Amaechi.

"But madam, you know, too."

"I know? I know what?"

"You know *oga* Obiora has girlfriends. You don't ask questions. But inside, you know."

Nkem feels an uncomfortable tingle in her left ear. What does it mean to know, really? Is it knowing—her refusal to think concretely about other women? Her refusal to ever consider the possibility?

"*Oga* Obiora is a good man, madam, and he loves you, he does not use you to play football." Amaechi takes the pot off the stove and looks steadily at Nkem. Her voice is softer, almost cajoling. "Many women would be jealous, maybe your friend Ijemamaka is jealous. Maybe she is not a true friend. There are things she should not tell you. There are things that are good if you don't know."

Nkem runs her hand through her short curly hair, sticky with the texturizer and curl activator she had used earlier. Then she gets up to rinse her hand. She wants to agree with Amaechi, that there are things that are best unknown, but then she is not so sure anymore. Maybe it is not such a bad thing that Ijemamaka told me, she thinks. It no longer matters *why* Ijemamaka called.

"Check the potatoes," she says.

— Mais, madame, vous le savez, vous aussi.

— Je le sais ? Je sais quoi ?

— Vous savez qu'*oga* Obiora a des petites amies. Vous ne posez pas de questions. Mais au fond, vous savez. »

Nkem sent un fourmillement désagréable à son oreille gauche. Qu'est-ce que ça signifie vraiment, savoir ? Est-ce savoir, son refus de penser concrètement à d'autres femmes ? Son refus, même, d'envisager la possibilité ?

« *Oga* Obiora est un homme bien, madame, et il vous aime, il ne joue pas au football avec vous. » Amaechi retire la casserole du feu et regarde Nkem dans les yeux. Sa voix est plus douce, presque cajoleuse. « Beaucoup de femmes seraient jalouses, et peut-être que votre amie Ijemamaka est jalouse. Peut-être que ce n'est pas une vraie amie. Il y a des choses qu'elle ne devrait pas vous dire. Il y a des choses qui sont bonnes tant qu'on ne sait pas. »

Nkem passe la main dans ses cheveux courts et bouclés, collants à cause du gel assouplissant et activateur de boucles qu'elle a appliqué plus tôt. Puis elle se lève pour rincer sa main. Elle a envie d'être d'accord avec Amaechi, qu'il vaut mieux ne pas savoir certaines choses, mais elle n'en est plus si sûre. Ce n'est peut-être pas plus mal qu'Ijemamaka m'ait prévenue, se dit-elle. La *raison* pour laquelle Ijemamaka a appelé n'a plus d'importance.

« Jette un coup d'œil aux pommes de terre », dit-elle.

Later that evening, after putting the children to bed, she picks up the kitchen phone and dials the fourteen-digit number. She hardly ever calls Nigeria. Obiora does the calling, because his Worldnet cell phone has good international rates.

"Hello? Good evening." It is a male voice. Uneducated. Rural Igbo accent.

"This is Madam from America."

"Ah, madam!" The voice changes, warms up. "Good evening, madam."

"Who is speaking?"

"Uchenna, madam. I am the new houseboy."

"When did you come?"

"Two weeks now, madam."

"Is *Oga* Obiora there?"

"No, madam. Not back from Abuja."

"Is anybody else there?"

"How, madam?"

"Is anybody else there?"

"Sylvester and Maria, madam."

Nkem sighs. She knows the steward and cook would be there, of course, it is midnight in Nigeria. But does this new houseboy sound hesitant, this new houseboy that Obiora forgot to mention to her? Is the girl with the curly hair there? Or did she go with Obiora on the business trip to Abuja?

"Is anybody else there?" Nkem asks again.

A pause. "Madam?"

Plus tard dans la soirée, après avoir couché les enfants, elle décroche le téléphone de la cuisine et compose le numéro à quatorze chiffres. Elle n'appelle pratiquement jamais le Nigeria. C'est Obiora qui appelle, parce qu'il a de bons tarifs internationaux avec son portable Worldnet.

« Allô ? Bonsoir. » C'est une voix d'homme. Inculte. Un accent ibo de la campagne.

« C'est Madame, d'Amérique.

— Ah, Madame ! » La voix change, se fait plus chaleureuse. « Bonsoir, Madame.

— Qui est au téléphone ?

— Uchenna, Madame. Je suis le nouveau boy.

— Depuis quand tu es là ?

— Ça fait deux semaines, maintenant, Madame.

— *Oga* Obiora est là ?

— Non, Madame. Pas rentré d'Abuja.

— Y a-t-il quelqu'un d'autre à la maison ?

— Comment, Madame ?

— Y a-t-il quelqu'un d'autre à la maison ?

— Sylvester et Maria, Madame. »

Nkem soupire. Elle se doutait bien que l'intendant et la cuisinière seraient là, bien sûr, il est minuit au Nigeria. Mais y a-t-il de l'hésitation dans la voix de ce nouveau boy, ce nouveau boy dont Obiora a oublié de lui parler ? La fille aux cheveux bouclés est-elle là ? Ou a-t-elle accompagné Obiora dans son voyage d'affaires à Abuja ?

« Y a-t-il quelqu'un d'autre à la maison ? » demande à nouveau Nkem.

Une pause. « Madame ?

"Is anybody else in that house except for Sylvester and Maria?"

"No, madam. No."

"Are you sure?"

A longer pause. "Yes, madam."

"Okay, tell *oga* Obiora that I called."

Nkem hangs up quickly. This is what I have become, she thinks. I am spying on my husband with a new houseboy I don't even know.

"Do you want a small drink?" Amaechi asks, watching her, and Nkem wonders if it is pity, that liquid glint in Amaechi's slightly slanted eyes. A small drink has been their tradition, hers and Amaechi's, for some years now, since the day Nkem got her green card. She had opened a bottle of champagne that day and poured for Amaechi and herself, after the children went to bed. "To America!" she'd said, amid Amaechi's too-loud laughter. She would no longer have to apply for visas to get back into America, no longer have to put up with condescending questions at the American embassy. Because of the crisp plastic card sporting the photo in which she looked sulky. Because she really belonged to this country now, this country of curiosities and crudities, this country where you could drive at night and not fear armed robbers, where restaurants served one person enough food for three.

She does miss home, though, her friends,

— Y a-t-il quelqu'un d'autre à la maison en dehors de Sylvester et Maria ?

— Non, Madame. Non.

— Tu es sûr ? »

Une pause plus marquée. « Oui, Madame.

— D'accord, dis à *oga* Obiora que j'ai appelé. »

Nkem raccroche rapidement. Voilà ce que je suis devenue, pense-t-elle. J'espionne mon mari auprès d'un nouveau boy que je ne connais même pas.

« Vous voulez un petit verre ? » propose Amaechi, qui l'observe, et Nkem se demande si c'est de la pitié, cet éclat liquide dans les yeux légèrement bridés d'Amaechi. Un petit verre, c'est une tradition entre Amaechi et elle depuis quelques années, depuis le jour où Nkem a obtenu sa carte verte. Elle avait ouvert une bouteille de champagne ce jour-là et servi deux verres, pour elle et Amaechi, une fois les enfants couchés. « À l'Amérique ! » avait-elle dit, sous le rire trop fort d'Amaechi. Désormais elle n'avait plus à demander de visa pour rentrer en Amérique, plus à supporter de questions condescendantes à l'ambassade américaine. Grâce à cette carte en plastique dur avec la photo où elle a l'air de faire la tête. Parce qu'elle avait vraiment sa place dans ce pays, à présent, ce pays plein de curiosités et de vulgarités, ce pays où on pouvait rouler la nuit sans craindre les bandits armés, où les restaurants servaient à une personne de quoi manger pour trois.

Son pays lui manque, pourtant, ses amis,

the cadence of Igbo and Yoruba and pidgin English spoken around her. And when the snow covers the yellow fire hydrant on the street, she misses the Lagos sun that glares down even when it rains. She has sometimes thought about moving back home, but never seriously, never concretely. She goes to a Pilates class twice a week in Philadelphia with her neighbor; she bakes cookies for her children's classes and hers are always the favorites; she expects banks to have drive-ins. America has grown on her, snaked its roots under her skin. "Yes, a small drink," she says to Amaechi. "Bring the wine that is in the fridge and two glasses."

Nkem has not waxed her pubic hair; there is no thin line between her legs as she drives to the airport to pick Obiora up. She looks in the rearview mirror, at Okey and Adanna strapped in the backseat. They are quiet today, as though they sense her reserve, the laughter that is not on her face. She used to laugh often, driving to the airport to pick Obiora up, hugging him, watching him hug the children. They would have dinner out the first day, Chili's or some other restaurant where Obiora would look on as the children colored their menus. Obiora would give out presents when they got home and the children would stay up late, playing with new toys.

les cadences de l'ibo, du yoruba et du pidgin parlés autour d'elle. Et lorsque la neige recouvre la borne d'incendie jaune dans la rue, le soleil de Lagos, qui éblouit même quand il pleut, lui manque. Elle a pensé rentrer, parfois, mais jamais sérieusement, jamais concrètement. Elle va deux fois par semaine à un cours de Pilates à Philadelphie avec sa voisine ; elle fait des cookies pour les classes de ses enfants et les siens sont toujours ceux qui ont le plus de succès ; elle trouve normal que les banques aient des drive-in. L'Amérique a fini par lui plaire, par enfoncer ses racines sous sa peau. « Oui, un petit verre, dit-elle à Amaechi. Apporte le vin qui est au frigo et deux verres. »

Nkem ne s'est pas épilé le pubis, elle n'a pas de ligne fine entre les jambes quand elle roule vers l'aéroport pour aller chercher Obiora. Elle jette un coup d'œil dans le rétroviseur à Okey et Adanna, attachés à l'arrière. Ils sont silencieux aujourd'hui, comme s'ils sentaient sa retenue, le rire absent de son visage. Avant, elle riait souvent sur le trajet de l'aéroport pour aller chercher Obiora, puis lorsqu'elle l'embrassait, qu'elle le regardait embrasser les enfants. Ils dînaient dehors le premier soir, au Chili's ou dans n'importe quel autre restaurant, et Obiora regardait les enfants colorier leurs menus. Arrivés à la maison, Obiora leur donnait des cadeaux et les enfants veillaient tard, en jouant avec les nouveaux jouets.

And she would wear whatever heady new perfume he'd bought her to bed, and one of the lacy nightdresses she wore only two months a year.

He always marveled at what the children could do, what they liked and didn't like, although they were all things she had told him on the phone. When Okey ran to him with a boo-boo, he kissed it, then laughed at the quaint American custom of kissing wounds. Does spit make a wound heal? he would ask. When his friends visited or called, he asked the children to greet Uncle, but first he teased his friends with "I hope you understand the big-big English they speak; they are *Americanah* now, oh!"

At the airport, the children hug Obiora with the same old abandon, shouting, "Daddy!"

Nkem watches them. Soon they will stop being lured by toys and summer trips and start to question a father they see so few times a year.

After Obiora kisses her lips, he moves back to look at her. He looks unchanged: a short, ordinary light-skinned man wearing an expensive sports jacket and a purple shirt. "Darling, how are you?" he asks. "You cut your hair?"

Et elle mettait le nouveau parfum entêtant qu'il lui avait acheté pour aller au lit, ainsi qu'une des nuisettes à dentelles qu'elle ne portait que deux mois par an.

Il s'étonnait toujours de ce que les enfants étaient capables de faire, de ce qu'ils aimaient ou n'aimaient pas, même si c'étaient toutes là des choses qu'elle lui avait dites au téléphone. Quand Okey courait lui montrer un bobo, il l'embrassait, puis se moquait de cette pittoresque coutume américaine qui consiste à embrasser les blessures. La salive fait-elle cicatriser les blessures ? demandait-il. Lorsque ses amis rendaient visite ou téléphonaient, il demandait aux enfants de dire bonjour à Oncle, mais non sans taquiner d'abord ses amis d'un « J'espère que vous allez comprendre l'anglais bien-bien qu'ils parlent, ce sont des *Americanah*, maintenant, oh ! »

À l'aéroport, les enfants embrassent Obiora avec le même abandon de toujours, en criant : « Papa ! »

Nkem les regarde. Bientôt, ils ne se laisseront plus flouer par des cadeaux et des voyages d'été, et ils commenceront à se poser des questions sur ce père qu'ils voient si peu souvent dans l'année.

Après l'avoir embrassée sur la bouche, il recule pour la regarder. Il n'a pas changé : un homme ordinaire, petit, au teint clair, qui porte une veste sport coûteuse et une chemise violette. « Chérie, comment vas-tu ? demande-t-il. Tu t'es coupé les cheveux ? »

Nkem shrugs, smiles in the way that says *Pay attention to the children first.* Adanna is pulling at Obiora's hand, asking what did Daddy bring and can she open his suitcase in the car.

After dinner, Nkem sits on the bed and examines the Ife bronze head, which Obiora has told her is actually made of brass. It is stained, life-size, turbaned. It is the first original Obiora has brought.

"We'll have to be very careful with this one," he says.

"An original," she says, surprised, running her hand over the parallel incisions on the face.

"Some of them date back to the eleventh century." He sits next to her to take off his shoes. His voice is high, excited. "But this one is eighteenth-century. Amazing. Definitely worth the cost."

"What was it used for?"

"Decoration for the king's palace. Most of them are made to remember or honor the kings. Isn't it perfect?"

"Yes," she says. "I'm sure they did terrible things with this one, too."

"What?"

"Like they did with the Benin masks. You told me they killed people so they could get human heads to bury the king."

Obiora's gaze is steady on her.

Nkem hausse les épaules, lui adresse le sourire qui veut dire « *Intéresse-toi aux enfants d'abord* ». Adanna tire Obiora par la main en demandant ce que papa a apporté et si elle peut ouvrir sa valise dans la voiture.

Après le dîner, Nkem s'assied sur le lit et examine la tête ife en bronze, dont Obiora a dit qu'elle était en cuivre, en réalité. Elle est tachée, grandeur nature, enturbannée. C'est le premier original qu'apporte Obiora.

« Nous devons y faire très attention, à celle-là, dit-il.

— Un original, répond-elle, étonnée, en passant la main sur les incisions parallèles du visage.

— Certaines remontent au XIe siècle. » Il s'assied à côté d'elle pour retirer ses chaussures. Il parle d'une voix aiguë, excitée. « Mais celle-ci est du XVIIIe. Incroyable. Ça valait vraiment la dépense.

— À quoi servait-elle ?

— À décorer le palais du roi. La plupart d'entre elles étaient faites pour commémorer ou honorer les rois. N'est-ce pas qu'elle est parfaite ?

— Oui, dit-elle. Je suis sûre qu'ils ont fait des choses terribles avec celle-là aussi.

— Quoi ?

— Comme ce qu'ils faisaient avec les masques du Bénin. Tu m'as dit qu'ils tuaient des gens pour avoir des têtes humaines à enterrer avec le roi. »

Obiora a les yeux rivés sur elle.

Elle tapote la tête de bronze du bout d'un ongle. « Tu crois que les gens étaient heureux ? demande-t-elle.

She taps the bronze head with a fingernail. "Do you think the people were happy?" she asks.

"What people?"

"The people who had to kill for their king. I'm sure they wished they could change the way things were, they couldn't have been *happy.*"

Obiora's head is tilted to the side as he stares at her. "Well, maybe nine hundred years ago they didn't define 'happy' like you do now."

She puts the bronze head down; she wants to ask him how he defines "happy."

"Why did you cut your hair?" Obiora asks.

"Don't you like it?"

"I loved your long hair."

"You don't like short hair?"

"Why did you cut it? Is it the new fashion trend in America?" He laughs, taking his shirt off to get in the shower.

His belly looks different. Rounder and riper. She wonders how girls in their twenties can stand that blatant sign of self-indulgent middle age. She tries to remember the married men she had dated. Had they ripe bellies like Obiora? She can't recall. Suddenly, she can't remember anything, can't remember where her life has gone.

"I thought you would like it," she says.

"Anything will look good with your lovely face, darling, but I liked your long hair better.

— Quels gens ?

— Les gens qui devaient tuer pour leur roi. Je suis sûre qu'ils auraient aimé pouvoir changer la façon dont ça se passait, ils ne pouvaient pas être *heureux.* »

La tête inclinée sur le côté, Obiora la fixe du regard. « Ben, peut-être qu'il y a neuf cents ans on ne définissait pas le bonheur comme tu le fais maintenant. »

Elle repose la tête de bronze ; elle a envie de lui demander comment il définit le bonheur, lui.

« Pourquoi tu t'es coupé les cheveux ? demande Obiora.

— Ça ne te plaît pas ?

— J'adorais tes cheveux longs.

— T'aimes pas les cheveux courts ?

— Pourquoi tu les as coupés ? C'est la dernière mode en Amérique ? » Il rit, tout en enlevant sa chemise pour aller prendre sa douche.

Son ventre a changé. Il est plus rond, plus mûr. Elle se demande comment des filles de vingt ans peuvent supporter ce signe flagrant de laisser-aller de quinquagénaire. Elle essaie de se souvenir des hommes mariés qu'elle a fréquentés. Avaient-ils le ventre mûr comme Obiora ? Elle ne se rappelle plus. Soudain, elle ne se souvient plus de rien, ne se souvient pas où sa vie est passée.

« Je pensais que ça te plairait, dit-elle.

— Tout irait avec ton ravissant visage, chérie, mais j'aimais mieux tes cheveux longs.

You should grow it back. Long hair is more graceful on a Big Man's wife." He makes a face when he says "Big Man," and laughs.

He is naked now; he stretches and she watches the way his belly bobs up and down. In the early years, she would shower with him, sink down to her knees and take him in her mouth, excited by him and by the steam enclosing them. But now, things are different. She has softened like his belly, become pliable, accepting. She watches him walk into the bathroom.

"Can we cram a year's worth of marriage into two months in the summer and three weeks in December?" she asks. "Can we compress marriage?"

Obiora flushes the toilet, door open. "What?"

"*Rapuba*. Nothing."

"Shower with me."

She turns the TV on and pretends she has not heard him. She wonders about the girl with the short curly hair, if she showers with Obiora. She tries, but she cannot visualize the shower in the house in Lagos. A lot of gold trimmings—but she might be confusing it with a hotel bathroom.

"Darling? Shower with me," Obiora says, peeking out of the bathroom. He has not asked in a couple of years. She starts to undress.

Tu devrais les laisser repousser. Des cheveux longs, c'est plus seyant pour l'épouse d'un Homme Important. » Il fait une grimace en disant « Homme Important » et rit.

Il est nu, maintenant; il s'étire et elle regarde son ventre faire le yoyo. Les premières années, elle se douchait avec lui, se mettait à genoux et le prenait dans sa bouche, excitée par lui et par la vapeur qui les entourait. Mais maintenant, c'est différent. Elle s'est ramollie, comme le ventre d'Obiora, elle est devenue malléable, docile. Elle le regarde entrer dans la salle de bains.

« Est-ce qu'on peut faire tenir une année de mariage en deux mois d'été et trois semaines en décembre ? demande-t-elle. Est-ce qu'on peut comprimer une vie conjugale ? »

Obiora tire la chasse d'eau, porte ouverte. « Comment ?

— *Rapuba.* Rien.

— Viens te doucher avec moi. »

Elle allume la télévision et fait semblant de ne pas l'avoir entendu. Elle pense à la fille aux cheveux courts bouclés, se demande si elle se douche avec Obiora. Elle essaie de se représenter la douche de la maison de Lagos, mais n'y arrive pas. Beaucoup de dorures – à moins qu'elle ne confonde avec une salle de bains d'hôtel.

« Chérie ? Viens te doucher avec moi », dit Obiora, en passant la tête par la porte. Cela fait deux ans qu'il ne le lui a pas demandé. Elle commence à se déshabiller.

In the shower, as she soaps his back, she says, "We have to find a school for Adanna and Okey in Lagos." She had not planned to say it, but it seems right, it is what she has always wanted to say.

Obiora turns to stare at her. "What?"

"We are moving back at the end of the school year. We are moving back to live in Lagos. We are moving back." She speaks slowly, to convince him, to convince herself as well. Obiora continues to stare at her and she knows that he has never heard her speak up, never heard her take a stand. She wonders vaguely if that is what attracted him to her in the first place, that she deferred to him, that she let him speak for both of them.

"We can spend holidays here, together," she says. She stresses the "we."

"What...? Why?" Obiora asks.

"I want to know when a new houseboy is hired in my house," Nkem says. "And the children need you."

"If that is what you want," Obiora says finally. "We'll talk about it."

She gently turns him around and continues to soap his back. There is nothing left to talk about, Nkem knows; it is done.

Sous la douche, tout en lui savonnant le dos, elle dit : « Il faut qu'on cherche une école pour Adanna et Okey à Lagos. » Elle n'avait pas prévu de dire cela mais ça lui paraît juste, c'est ce qu'elle a toujours voulu dire.

Obiora se retourne et la fixe du regard. « Comment ?

— Nous rentrons à la fin de l'année scolaire. Nous rentrons vivre à Lagos. Nous rentrons. » Elle parle lentement, pour le convaincre et aussi pour se convaincre elle-même. Obiora continue de la fixer du regard et elle se rend compte qu'il ne l'a jamais entendue exprimer son opinion, ne l'a jamais entendue prendre position. Elle se demande vaguement si c'est ce qui l'avait attiré en elle au départ, sa façon de s'en remettre à lui, de le laisser parler en leur nom à tous deux.

« Nous pourrons passer les vacances ici, ensemble, dit-elle en insistant sur le "nous".

— Comment... ? Pourquoi ? demande Obiora.

— Je veux être au courant quand un nouveau boy est embauché dans ma maison, dit Nkem. Et les enfants ont besoin de toi.

— Si c'est ce que tu veux, finit par dire Obiora. On en reparlera. »

Elle le fait tourner avec douceur et continue de lui savonner le dos. Il n'y a plus rien à discuter, Nkem le sait ; c'est réglé.

The Thing around your Neck
Autour de ton cou

You thought everybody in America had a car and a gun; your uncles and aunts and cousins thought so, too. Right after you won the American visa lottery, they told you: In a month, you will have a big car. Soon, a big house. But don't buy a gun like those Americans.

They trooped into the room in Lagos where you lived with your father and mother and three siblings, leaning against the unpainted walls because there weren't enough chairs to go round, to say goodbye in loud voices and tell you with lowered voices what they wanted you to send them. In comparison to the big car and house (and possibly gun), the things they wanted were minor—handbags and shoes and perfumes and clothes. You said okay, no problem.

Your uncle in America, who had put in the names of all your family members for the American visa lottery, said you could live with him until you got on your feet.

Tu croyais qu'en Amérique tout le monde avait une voiture et une arme à feu ; tes oncles, tes tantes et tes cousins le croyaient aussi. Quand tu as gagné à la loterie des visas américains, ils t'ont dit : Dans un mois, tu auras une grosse voiture. Bientôt, une grande maison. Mais ne va pas acheter un revolver comme ces Américains.

Ils s'étaient attroupés dans la pièce où tu vivais avec ton père, ta mère et tes trois frères et sœurs, à Lagos, en s'appuyant contre les murs crus car il n'y avait pas assez de chaises pour tout le monde ; ils venaient te dire au revoir d'une voix forte et te glisser à mi-voix ce qu'ils voulaient que tu leur envoies. Comparées à la grosse voiture et la grande maison (voire au revolver), leurs envies étaient modestes : des sacs à main, des chaussures, des parfums et des vêtements. Tu avais dit d'accord, pas de problème.

Ton oncle d'Amérique, qui avait inscrit tous les membres de la famille à la loterie des visas, te proposa d'habiter chez lui le temps de trouver tes marques.

He picked you up at the airport and bought you a big hot dog with yellow mustard that nauseated you. Introduction to America, he said with a laugh. He lived in a small white town in Maine, in a thirty-year-old house by a lake. He told you that the company he worked for had offered him a few thousand more than the average salary plus stock options because they were desperately trying to look diverse. They included a photo of him in every brochure, even those that had nothing to do with his unit. He laughed and said the job was good, was worth living in an all-white town even though his wife had to drive an hour to find a hair salon that did black hair. The trick was to understand America, to know that America was give-and-take. You gave up a lot but you gained a lot, too.

He showed you how to apply for a cashier job in the gas station on Main Street and he enrolled you in a community college, where the girls had thick thighs and wore bright-red nail polish, and self-tanner that made them look orange. They asked where you learned to speak English and if you had real houses back in Africa and if you'd seen a car before you came to America. They gawped at your hair. Does it stand up or fall down when you take out the braids? They wanted to know. All of it stands up?

Il vint te chercher à l'aéroport et t'acheta un gros hot-dog plein de moutarde jaune qui te donna mal au cœur. Une introduction à l'Amérique, dit-il en riant. Il habitait une petite ville blanche du Maine, dans une maison vieille de trente ans, au bord d'un lac. Il te dit que l'entreprise pour laquelle il travaillait lui avait offert quelques milliers de dollars de plus que le salaire moyen, plus des stock-options, parce qu'ils étaient prêts à tout pour avoir une image de diversité. Ils mettaient sa photo dans toutes leurs brochures, même celles qui n'avaient aucun rapport avec son service. Il rit et dit que c'était un bon poste, qui méritait qu'ils vivent dans une ville entièrement blanche, même si sa femme devait faire une heure de voiture pour trouver un salon de coiffure où l'on sache coiffer les cheveux noirs. Le truc, c'était de comprendre l'Amérique ; de savoir que l'Amérique, c'était donnant-donnant. On faisait beaucoup de sacrifices, mais on gagnait beaucoup aussi.

Il te montra comment postuler à un emploi de caissière à la station-service de Main Street et t'inscrivit à une fac où les filles avaient de grosses cuisses, portaient du vernis à ongles rouge vif et mettaient de l'autobronzant qui les rendait orange. Elles te demandaient où tu avais appris à parler anglais et si vous aviez de vraies maisons, là-bas en Afrique, si tu avais déjà vu une voiture avant de venir en Amérique. Tes cheveux les laissaient pantoises. Est-ce qu'ils tiennent tout droit ou ils retombent, si tu défais tes tresses ? Elles voulaient le savoir. Ils tiennent tous tout droit ?

How? Why? Do you use a comb? You smiled tightly when they asked those questions. Your uncle told you to expect it; a mixture of ignorance and arrogance, he called it. Then he told you how the neighbors said, a few months after he moved into his house, that the squirrels had started to disappear. They had heard that Africans ate all kinds of wild animals.

You laughed with your uncle and you felt at home in his house; his wife called you *nwanne*, sister, and his two school-age children called you Aunty. They spoke Igbo and ate *garri* for lunch and it was like home. Until your uncle came into the cramped basement where you slept with old boxes and cartons and pulled you forcefully to him, squeezing your buttocks, moaning. He wasn't really your uncle; he was actually a brother of your father's sister's husband, not related by blood. After you pushed him away, he sat on your bed—it was his house, after all—and smiled and said you were no longer a child at twenty-two. If you let him, he would do many things for you. Smart women did it all the time. How did you think those women back home in Lagos with well-paying jobs made it? Even women in New York City?

You locked yourself in the bathroom until he went back upstairs, and the next morning, you left, walking the long windy road,

Comment? Pourquoi? Est-ce que tu te sers d'un peigne? Tu leur adressais un sourire pincé quand elles te posaient ces questions. Ton oncle te dit de ne pas t'étonner; c'était un mélange d'ignorance et d'arrogance, selon lui. Puis il te raconta que les voisins avaient prétendu, quelques mois après son emménagement, que les écureuils commençaient à disparaître. Ils avaient entendu dire que les Africains mangeaient toutes espèces d'animaux sauvages.

Tu riais avec ton oncle et tu te sentais à l'aise chez lui; sa femme t'appelait *nwanne*, sœur, et ses deux enfants d'âge scolaire t'appelaient Tantie. Ils parlaient ibo et mangeaient du *garri* à déjeuner; c'était comme à la maison. Jusqu'au jour où ton oncle entra dans le sous-sol exigu où tu dormais entre des vieilles caisses et des briques alimentaires et où il t'attira violemment contre lui, en te pétrissant les fesses et en gémissant. Ce n'était pas véritablement ton oncle, en fait; c'était un frère du mari de ta tante paternelle, sans lien de sang. Quand tu le repoussas, il s'assit sur ton lit – il était chez lui, après tout –, sourit et te dit qu'à vingt-deux ans tu n'étais plus une enfant. Si tu le laissais faire, il te rendrait de nombreux services. Les femmes intelligentes faisaient ça tout le temps. Comment croyais-tu que les femmes qui avaient des boulots bien payés au pays, à Lagos, y parvenaient? Et même celles de New York?

Tu restas enfermée dans la salle de bains jusqu'à ce qu'il remonte et, le lendemain matin, tu partis à pied, par la longue route sinueuse,

smelling the baby fish in the lake. You saw him drive past—he had always dropped you off at Main Street—and he didn't honk. You wondered what he would tell his wife, why you had left. And you remembered what he said, that America was give-and-take.

You ended up in Connecticut, in another little town, because it was the last stop of the Greyhound bus you got on. You walked into the restaurant with the bright, clean awning and said you would work for two dollars less than the other waitresses. The manager, Juan, had inky-black hair and smiled to show a gold tooth. He said he had never had a Nigerian employee but all immigrants worked hard. He knew, he'd been there. He'd pay you a dollar less, but under the table; he didn't like all the taxes they were making him pay.

You could not afford to go to school, because now you paid rent for the tiny room with the stained carpet. Besides, the small Connecticut town didn't have a community college and credits at the state university cost too much. So you went to the public library, you looked up course syllabi on school Web sites and read some of the books. Sometimes you sat on the lumpy mattress of your twin bed and thought about home—your aunts who hawked dried fish and plantains, cajoling customers to buy and then shouting insults when they didn't;

dans l'odeur des alevins du lac. Tu le vis passer en voiture sans klaxonner – avant, il te déposait toujours à Main Street. Tu te demandas ce qu'il allait raconter à sa femme, quelle raison il invoquerait pour ton départ. Et tu te souvins de ce qu'il t'avait dit, que l'Amérique c'était donnant-donnant.

Tu te retrouvas dans le Connecticut, dans une autre petite ville, parce que c'était le terminus du bus Greyhound que tu avais pris. Tu entras dans le restaurant au store propre et pimpant, et tu dis que tu étais prête à travailler pour deux dollars de moins que les autres serveuses. Le gérant, Juan, avait des cheveux aile de corbeau et une dent en or qu'il découvrit en souriant. Il dit qu'il n'avait jamais eu d'employé du Nigeria, mais que les immigrés travaillaient tous dur. Il le savait, il était passé par là. Il te paierait un dollar en moins, mais sous la table ; il n'aimait pas toutes les taxes qu'on lui faisait payer.

Tu n'avais pas les moyens d'étudier parce que tu payais maintenant un loyer pour ta chambre minuscule à la moquette tachée. De plus, la petite ville du Connecticut n'avait pas de fac locale, et les crédits de l'université de l'État étaient trop chers. Alors tu allais à la bibliothèque municipale, tu consultais les programmes des cours sur les sites Internet des établissements et tu lisais certains des livres. Parfois, assise sur le matelas plein de bosses de ton lit une place, tu pensais au pays – tes tantes qui vendaient du poisson séché et des bananes plantains dans la rue, cajolant les clients pour qu'ils achètent puis les abreuvant d'insultes s'ils n'achetaient rien ;

your uncles who drank local gin and crammed their families and lives into single rooms; your friends who had come out to say goodbye before you left, to rejoice because you won the American visa lottery, to confess their envy; your parents who often held hands as they walked to church on Sunday mornings, the neighbors from the next room laughing and teasing them; your father who brought back his boss's old newspapers from work and made your brothers read them; your mother whose salary was barely enough to pay your brothers' school fees at the secondary school where teachers gave an A when someone slipped them a brown envelope.

You had never needed to pay for an A, never slipped a brown envelope to a teacher in secondary school. Still, you chose long brown envelopes to send half your month's earnings to your parents at the address of the parastatal where your mother was a cleaner; you always used the dollar notes that Juan gave you because those were crisp, unlike the tips. Every month. You wrapped the money carefully in white paper but you didn't write a letter. There was nothing to write about.

In later weeks, though, you wanted to write because you had stories to tell. You wanted to write about the surprising openness of people in America,

tes oncles qui buvaient du gin local et entassaient leurs familles et leurs vies dans une seule pièce ; tes amis qui étaient venus te dire au revoir avant ton départ, pour se réjouir que tu aies gagné la loterie des visas américains, pour avouer leur envie ; tes parents, qui se tenaient souvent par la main quand ils allaient à l'église le dimanche matin, ce qui leur valait les rires et taquineries des voisins de la chambre d'à côté ; ton père, qui rapportait de son travail les vieux journaux de son patron et les faisait lire à tes frères ; ta mère, dont le salaire suffisait tout juste à couvrir l'inscription de tes frères au collège où les professeurs accordaient un A quand on leur glissait une enveloppe kraft.

Tu n'avais jamais eu besoin de payer pour avoir A, jamais glissé d'enveloppe kraft à un de tes professeurs au collège. Pourtant tu choisissais maintenant de longues enveloppes kraft pour envoyer à tes parents la moitié de tes gains mensuels, à l'adresse de l'établissement semi-public où ta mère faisait le ménage ; tu te servais toujours des dollars que te donnait Juan parce qu'ils étaient neufs, contrairement à ceux des pourboires. Tous les mois. Tu pliais soigneusement l'argent dans une feuille de papier blanc, mais tu n'écrivais pas de lettre. Il n'y avait rien à écrire.

Après quelques semaines, pourtant, il te vint l'envie d'écrire parce que tu avais des histoires à raconter. Tu voulais raconter le caractère étonnamment communicatif des Américains,

how eagerly they told you about their mother fighting cancer, about their sister-in-law's preemie, the kinds of things that one should hide or should reveal only to the family members who wished them well. You wanted to write about the way people left so much food on their plates and crumpled a few dollar bills down, as though it was an offering, expiation for the wasted food. You wanted to write about the child who started to cry and pull at her blond hair and push the menus off the table and instead of the parents making her shut up, they pleaded with her, a child of perhaps five years old, and then they all got up and left. You wanted to write about the rich people who wore shabby clothes and tattered sneakers, who looked like the night watchmen in front of the large compounds in Lagos. You wanted to write that rich Americans were thin and poor Americans were fat and that many did not have a big house and car; you still were not sure about the guns, though, because they might have them inside their pockets.

It wasn't just to your parents you wanted to write, it was also to your friends, and cousins and aunts and uncles. But you could never afford enough perfumes and clothes and handbags and shoes to go around and still pay your rent on what you earned at the waitressing job, so you wrote nobody.

qui s'empressent de vous parler du combat de leur mère contre le cancer ou de l'accouchement prématuré de leur belle-sœur, autant de choses qu'on devrait taire ou ne révéler qu'aux membres de la famille qui s'en soucient vraiment. Tu voulais raconter comment les gens laissent leurs assiettes à moitié pleines et chiffonnent quelques dollars, en manière d'offrande semblait-il, ou d'expiation pour un tel gaspillage. Tu voulais raconter la gamine blonde qui s'était mise à pleurer, à se tirer les cheveux, à jeter les menus par terre, tandis que ses parents, loin de la faire taire, la suppliaient, cette gamine qui devait avoir autour de cinq ans – jusqu'à ce que, pour finir, ils se lèvent tous de table et s'en aillent. Tu voulais raconter que les riches portaient des vêtements miteux et des tennis déchirées, qu'ils avaient la dégaine des gardiens de nuit des grandes concessions de Lagos. Tu voulais raconter que les Américains riches étaient minces, tandis que les Américains pauvres étaient gros, et qu'ils étaient nombreux à ne posséder ni grande maison ni grosse voiture ; quant aux revolvers, tu ne pouvais pas te prononcer pour le moment, car qui sait s'ils n'en avaient pas au fond de leurs poches ?

Ce n'était pas juste à tes parents que tu avais envie d'écrire, c'était aussi à tes amis, tes cousins, tes tantes et tes oncles. Mais comme il était exclu, avec l'argent que tu gagnais comme serveuse, que tu puisses jamais acheter assez de parfums, de vêtements et de sacs à main pour tout le monde tout en continuant à payer ton loyer, tu n'écrivais à personne.

Nobody knew where you were, because you told no one. Sometimes you felt invisible and tried to walk through your room wall into the hallway, and when you bumped into the wall, it left bruises on your arms. Once, Juan asked if you had a man that hit you because he would take care of him and you laughed a mysterious laugh.

At night, something would wrap itself around your neck, something that very nearly choked you before you fell asleep.

Many people at the restaurant asked when you had come from Jamaica, because they thought that every black person with a foreign accent was Jamaican. Or some who guessed that you were African told you that they loved elephants and wanted to go on a safari.

So when he asked you, in the dimness of the restaurant after you recited the daily specials, what African country you were from, you said Nigeria and expected him to say that he had donated money to fight AIDS in Botswana. But he asked if you wereYoruba or Igbo, because you didn't have a Fulani face. You were surprised—you thought he must be a professor of anthropology at the state university, a little young in his late twenties or so, but who was to say? Igbo, you said.

Personne ne savait où tu étais, parce que tu ne le disais à personne. Parfois, tu avais l'impression d'être invisible et tu essayais de traverser le mur de ta chambre pour rejoindre le couloir, et tu te faisais des bleus aux bras en te cognant contre le mur. Une fois, Juan te demanda si tu avais un homme qui te battait, parce que si c'était ça, dit-il, il lui ferait son affaire, et tu lui avais répondu par un rire mystérieux.

La nuit, quelque chose venait s'enrouler autour de ton cou, une chose qui manquait t'étouffer avant que tu ne sombres dans le sommeil.

Au restaurant, beaucoup de gens te demandaient depuis quand tu étais venue de Jamaïque parce qu'ils croyaient que tous les Noirs qui avaient un accent étranger étaient jamaïcains. Ou bien, si certains devinaient que tu étais africaine, ils te disaient qu'ils adoraient les éléphants et avaient envie de faire un safari.

Aussi quand il te demanda, dans la pénombre du restaurant, alors que tu venais de lui réciter les plats du jour, de quel pays d'Afrique tu étais originaire, tu répondis « le Nigeria » en t'attendant à ce qu'il te dise qu'il avait donné de l'argent pour lutter contre le sida au Botswana. Mais il te demanda si tu étais yoruba ou ibo, car tu n'avais pas un visage foulani. Ce qui te surprit – tu te dis qu'il devait être professeur d'anthropologie à l'université de l'État, un peu jeune puisqu'il devait tout juste approcher de la trentaine, maintenant allez savoir ? Ibo, répondis-tu.

He asked your name and said Akunna was pretty. He did not ask what it meant, fortunately, because you were sick of how people said,"'Father's Wealth'? You mean, like, your father will actually sell you to a husband?"

He told you he had been to Ghana and Uganda and Tanzania, loved the poetry of Okot p'Bitek and the novels of Amos Tutuola and had read a lot about sub-Saharan African countries, their histories, their complexities. You wanted to feel disdain, to show it as you brought his order, because white people who liked Africa too much and those who liked Africa too little were the same—condescending. But he didn't shake his head in the superior way that Professor Cobbledick back in the Maine community college did during a class discussion on decolonization in Africa. He didn't have that expression of Professor Cobbledick's, that expression of a person who thought himself better than the people he knew about. He came in the next day and sat at the same table and when you asked if the chicken was okay, he asked if you had grown up in Lagos. He came in the third day and began talking before he ordered, about how he had visited Bombay and now wanted to visit Lagos, to see how real people lived, like in the shantytowns, because he never did any of the silly tourist stuff when he was abroad.

Il te demanda comment tu t'appelais et dit que c'était joli, Akunna. Il ne te demanda pas ce que ça signifiait, heureusement, parce que tu en avais plus qu'assez de la réaction des gens : « Richesse du père ? Vous voulez dire... votre père va vous vendre à un mari, vraiment ? »

Il te raconta qu'il était allé au Ghana, en Ouganda et en Tanzanie, qu'il adorait la poésie d'Okot p'Bitek et les romans d'Amos Tutuola et qu'il avait beaucoup lu sur les pays d'Afrique subsaharienne, sur leur histoire et leur complexité. Tu voulais ressentir du dédain et le manifester en lui apportant sa commande, car les Blancs qui aimaient trop l'Afrique et ceux qui ne l'aimaient pas assez se valaient – par leur égale condescendance. Mais il ne hochait pas la tête d'un air supérieur comme l'avait fait le professeur Cobbledick, à ta fac dans le Maine, lors d'un débat en classe sur la décolonisation en Afrique. Il n'avait pas la même expression que le professeur Cobbledick, cette expression de qui se croit meilleur que les gens sur lesquels il a quelques connaissances. Il vint le lendemain et s'assit à la même table, et lorsque tu lui demandas si le poulet était bon, il te demanda si tu avais grandi à Lagos. Il vint le troisième jour et se mit à parler avant même de commander, racontant qu'il avait visité Bombay et qu'il voulait maintenant visiter Lagos pour voir comment vivaient les vraies gens, par exemple dans les bidonvilles, parce qu'il ne faisait jamais les trucs idiots pour touristes quand il était à l'étranger.

He talked and talked and you had to tell him it was against restaurant policy. He brushed your hand when you set the glass of water down. The fourth day, when you saw him arrive, you told Juan you didn't want that table anymore. After your shift that night, he was waiting outside, earphones stuck in his ears, asking you to go out with him because your name rhymed with *hakuna matata* and *The Lion King* was the only maudlin movie he'd ever liked. You didn't know what *The Lion King* was. You looked at him in the bright light and noticed that his eyes were the color of extra-virgin olive oil, a greenish gold. Extra-virgin olive oil was the only thing you loved, truly loved, in America.

He was a senior at the state university. He told you how old he was and you asked why he had not graduated yet. This was America, after all, it was not like back home, where universities closed so often that people added three years to their normal course of study and lecturers went on strike after strike and still were not paid. He said he had taken a couple of years off to discover himself and travel, mostly to Africa and Asia. You asked him where he ended up finding himself and he laughed. You did not laugh. You did not know that people could simply choose not to go to school, that people could dictate to life. You were used to accepting what life gave, writing down what life dictated.

Il parla tant et plus et tu dus lui dire que c'était contraire à la politique du restaurant. Il effleura ta main quand tu posas le verre d'eau. Le quatrième jour, en le voyant arriver, tu dis à Juan que tu ne voulais plus de cette table. Ce soir-là, après ton service, tu le trouvas qui attendait dehors, les écouteurs vissés dans les oreilles, et il te demanda de sortir avec lui parce que ton nom rimait avec *hakuna matata* et que *Le Roi Lion* était le seul film à l'eau de rose qu'il ait jamais aimé. Tu n'avais jamais entendu parler du *Roi Lion*. Tu le regardas dans la lumière vive et remarquas qu'il avait les yeux de la couleur de l'huile d'olive extra-vierge, un doré tirant sur le vert. L'huile d'olive extra-vierge était la seule chose que tu adorais en Amérique, que tu aimais sans réserve.

Il était en année de licence à l'université de l'État. Il te dit son âge et tu lui demandas pourquoi il n'avait pas encore fini ses études. C'était l'Amérique, ici, après tout, ce n'était pas comme au pays, où les universités fermaient si souvent que les gens mettaient trois ans de plus que prévu pour terminer leur cursus et où les enseignants avaient beau faire grève sur grève, ils n'étaient pas payés. Il t'expliqua qu'il avait pris deux ans pour se découvrir et voyager, principalement en Afrique et en Asie. Tu lui demandas où il avait fini par se trouver, et ça le fit rire. Pas toi. Tu ignorais qu'on pouvait décider de ne pas aller à la fac, tout bonnement; qu'on pouvait dicter sa propre vie. Toi, tu avais l'habitude d'accepter ce que la vie donnait, d'écrire sous sa dictée.

You said no the following four days to going out with him, because you were uncomfortable with the way he looked at your face, that intense, consuming way he looked at your face that made you say goodbye to him but also made you reluctant to walk away. And then, the fifth night, you panicked when he was not standing at the door after your shift. You prayed for the first time in a long time and when he came up behind you and said hey, you said yes, you would go out with him, even before he asked. You were scared he would not ask again.

The next day, he took you to dinner at Chang's and your fortune cookie had two strips of paper. Both of them were blank.

You knew you had become comfortable when you told him that you watched *Jeopardy* on the restaurant TV and that you rooted for the following, in this order: women of color, black men, and white women, before, finally, white men—which meant you never rooted for white men. He laughed and told you he was used to not being rooted for, his mother taught women's studies.

And you knew you had become close when you told him that your father was really not a schoolteacher in Lagos, that he was a junior driver for a construction company. And you told him about that day in Lagos traffic in the rickety Peugeot 504 your father drove;

Les quatre jours suivants, tu refusas de sortir avec lui parce que sa façon de te regarder te mettait mal à l'aise, ce regard dévorant et passionné avec lequel il scrutait ton visage, qui te poussait à lui dire au revoir, et en même temps te donnait de la réticence à t'éloigner. Et puis, le cinquième soir, quand tu ne le trouvas pas debout à la porte après ton service, tu fus prise de panique. Tu prias pour la première fois depuis longtemps et lorsqu'il surgit par-derrière et te dit « Salut », tu dis que oui, tu voulais bien sortir avec lui, avant même qu'il te l'ait demandé. Tu avais peur qu'il ne te le redemande pas.

Le lendemain, il t'emmena dîner chez Chang's et tu trouvas, dans ton biscuit porte-bonheur, deux bandes de papier. Blanches toutes les deux.

Tu compris que tu étais à l'aise avec lui le jour où tu lui racontas que tu regardais *Jeopardy* à la télévision du restaurant et que tu prenais parti, dans l'ordre, pour : les femmes de couleur, les hommes noirs et les femmes blanches avant, enfin, de soutenir les hommes blancs – autant dire que cela n'arrivait jamais. Il rit et te dit qu'il avait l'habitude qu'on ne prenne pas parti pour lui, sa mère enseignait les études féminines.

Et tu compris que vous étiez devenus proches quand tu lui confias que ton père n'était pas instituteur à Lagos, en réalité, mais simple chauffeur dans une entreprise de bâtiment. Et tu lui racontas cette journée passée dans les embouteillages de Lagos, dans la Peugeot 504 bringuebalante que conduisait ton père ;

it was raining and your seat was wet because of the rust-eaten hole in the roof. The traffic was heavy, the traffic was always heavy in Lagos, and when it rained it was chaos. The roads became muddy ponds and cars got stuck and some of your cousins went out and made some money pushing the cars out. The rain, the swampiness, you thought, made your father step on the brakes too late that day. You heard the bump before you felt it. The car your father rammed into was wide, foreign, and dark green, with golden headlights like the eyes of a leopard. Your father started to cry and beg even before he got out of the car and laid himself flat on the road, causing much blowing of horns. Sorry sir, sorry sir, he chanted. If you sell me and my family, you cannot buy even one tire on your car. Sorry sir.

The Big Man seated at the back did not come out, but his driver did, examining the damage, looking at your father's sprawled form from the corner of his eye as though the pleading was like pornography, a performance he was ashamed to admit he enjoyed. At last he let your father go. Waved him away. The other cars' horns blew and drivers cursed. When your father came back into the car,

il pleuvait et ton siège était mouillé à cause du trou grignoté dans le toit par la rouille. Il y avait beaucoup d'embouteillages, il y avait toujours beaucoup d'embouteillages à Lagos, et lorsqu'il pleuvait, ça devenait le chaos. Les routes se changeaient en mares boueuses dans lesquelles les voitures s'embourbaient, tu avais d'ailleurs des cousins qui se faisaient un peu d'argent en allant dégager les voitures. C'était à cause de la pluie et de la gadoue, pensais-tu, que ton père avait freiné trop tard ce jour-là. Tu entendis le choc avant de le sentir. L'auto que ton père avait emboutie était trapue, étrangère, vert foncé, avec des phares dorés comme des yeux de léopard. Ton père se mit à pleurer et supplier avant même de quitter le volant et s'allonger à plat ventre sur la chaussée, déclenchant un concert de coups de klaxon. Désolé monsieur, désolé monsieur, psalmodia-t-il. Si vous me vendez moi et ma famille, vous pourrez même pas acheter un pneu pour votre voiture. Désolé monsieur.

L'Homme Important assis sur la banquette arrière ne sortit pas, mais son chauffeur oui, qui examina les dégâts tout en regardant du coin de l'œil la silhouette aplatie de ton père, comme si les supplications étaient une forme de pornographie, un spectacle qu'il appréciait même s'il n'oserait jamais l'avouer. Pour finir, il laissa ton père repartir. Le congédia d'un geste. Les autres voitures klaxonnèrent et leurs chauffeurs lancèrent des jurons. Lorsque ton père remonta dans l'auto,

you refused to look at him because he was just like the pigs that wallowed in the marshes around the market. Your father looked like *nsi*. Shit.

After you told him this, he pursed his lips and held your hand and said he understood how you felt. You shook your hand free, suddenly annoyed, because he thought the world was, or ought to be, full of people like him. You told him there was nothing to understand, it was just the way it was.

He found the African store in the Hartford yellow pages and drove you there. Because of the way he walked around with familiarity, tilting the bottle of palm wine to see how much sediment it had, the Ghanaian store owner asked him if he was African, like the white Kenyans or South Africans, and he said yes, but he'd been in America for a long time. He looked pleased that the store owner had believed him. You cooked that evening with the things you had bought, and after he ate *garri* and *onugbu* soup, he threw up in your sink. You didn't mind, though, because now you would be able to cook *onugbu* soup with meat.

He didn't eat meat because he thought it was wrong the way they killed animals; he said they released fear toxins into the animals and the fear toxins made people paranoid.

tu refusas de le regarder parce qu'il était exactement comme les cochons qui se vautraient dans les marais autour du marché. Ton père avait l'air d'une *nsi*. D'une merde.

Quand tu lui racontas cette histoire, il pinça les lèvres, prit ta main dans la sienne et dit qu'il comprenait ce que tu ressentais. Tu te dégageas, brusquement agacée, parce qu'il s'imaginait que le monde était, ou devait être, peuplé de gens comme lui. Tu lui dis qu'il n'y avait rien à comprendre, c'était comme ça et c'était tout.

Il trouva le magasin africain dans les Pages jaunes d'Hartford et t'y conduisit. À le voir circuler entre les rayons avec aisance, incliner la bouteille de vin de palme pour regarder s'il y avait du dépôt, le propriétaire du magasin, un Ghanéen, lui demanda s'il était africain, comme les Kényans ou Sud-Africains blancs, et il répondit que oui, mais qu'il vivait en Amérique depuis longtemps. Il avait l'air content que le propriétaire du magasin le croie. Ce soir-là, tu préparas le dîner avec les ingrédients que tu avais achetés ; quant à lui, après avoir mangé du *garri* et de la sauce d'*onugbu*, il vomit dans ton évier. Ce qui ne t'embêta pas plus que ça, parce que tu allais maintenant pouvoir faire de la sauce d'*onugbu* à la viande.

Il ne mangeait pas de viande parce qu'il désapprouvait la façon dont on tuait les animaux ; il disait que ça provoquait une sécrétion de toxines de la peur chez les animaux et que les toxines de la peur rendaient les gens paranos.

Back home, the meat pieces you ate, when there was meat, were the size of half your finger. But you did not tell him that. You did not tell him either that the *dawadawa* cubes your mother cooked everything with, because curry and thyme were too expensive, had MSG, *were* MSG. He said MSG caused cancer, it was the reason he liked Chang's; Chang didn't cook with MSG.

Once, at Chang's, he told the waiter he had recently visited Shanghai, that he spoke some Mandarin. The waiter warmed up and told him what soup was best and then asked him, "You have girlfriend in Shanghai now?" And he smiled and said nothing.

You lost your appetite, the region deep in your chest felt clogged. That night, you didn't moan when he was inside you, you bit your lips and pretended that you didn't come because you knew he would worry. Later you told him why you were upset, that even though you went to Chang's so often together, even though you had kissed just before the menus came, the Chinese man had assumed you could not possibly be his girlfriend, and he had smiled and said nothing. Before he apologized, he gazed at you blankly and you knew that he did not understand.

He bought you presents and when you objected about the cost,

À la maison, les morceaux de viande que vous mangiez, quand il y avait de la viande, faisaient la moitié de ton doigt. Mais cela, tu ne le lui dis pas. Tu ne lui dis pas non plus que les cubes de *dawadawa* que ta mère mettait dans tous ses plats parce que le thym et le curry étaient trop chers contenaient du glutamate, *étaient* du glutamate. Il disait que le glutamate donnait le cancer, que c'était pour ça qu'il aimait bien Chang's ; Chang cuisinait sans glutamate.

Une fois, chez Chang's, il dit au garçon qu'il était allé récemment à Shanghai, et qu'il parlait un peu le mandarin. Le garçon se montra plus chaleureux, lui indiqua la meilleure soupe, puis lui demanda : « Vous avez petite amie à Shanghai maintenant ? » Et il sourit, sans répondre.

Tu en eus l'appétit coupé, un poids tout au fond de la poitrine. Cette nuit-là tu ne gémis pas quand il fut entré en toi, tu te mordis les lèvres et fis semblant de ne pas jouir parce que tu savais que ça l'inquiéterait. Plus tard, tu lui expliquas ce qui t'avait fâchée, à savoir que vous aviez beau aller souvent ensemble chez Chang's, vous aviez beau vous être embrassés juste avant qu'on vous apporte la carte, le Chinois était parti du principe que tu ne pouvais décemment pas être sa petite amie – et il avait souri sans répondre. Avant de s'excuser, il te regarda d'un œil absent et tu vis qu'il n'avait pas compris.

Il t'offrait des cadeaux et quand tu objectais à la dépense,

he said his grandfather in Boston had been wealthy but hastily added that the old man had given a lot away and so the trust fund he had wasn't huge. His presents mystified you. A fist-size glass ball that you shook to watch a tiny, shapely doll in pink spin around. A shiny rock whose surface took on the color of whatever touched it. An expensive scarf hand-painted in Mexico. Finally you told him, your voice stretched in irony, that in your life presents were always useful. The rock, for instance, would work if you could grind things with it. He laughed long and hard but you did not laugh. You realized that in his life, he could buy presents that were just presents and nothing else, nothing useful. When he started to buy you shoes and clothes and books, you asked him not to, you didn't want any presents at all. He bought them anyway and you kept them for your cousins and uncles and aunts, for when you would one day be able to visit home, even though you did not know how you could ever afford a ticket *and* your rent. He said he really wanted to see Nigeria and he could pay for you both to go. You did not want him to pay for you to visit home. You did not want him to go to Nigeria,

il te disait que son grand-père de Boston avait été riche, mais s'empressait d'ajouter que le vieil homme avait beaucoup distribué à gauche et à droite, de sorte que son legs en fidéicommis n'était pas énorme. Ses cadeaux te laissaient perplexe. Une boule de verre grosse comme un poing dans laquelle tu voyais, lorsque tu l'agitais, pirouetter une minuscule et gracieuse poupée habillée de rose. Une pierre brillante qui prenait la couleur de ce avec quoi elle entrait en contact. Un foulard du Mexique en soie peinte à la main, d'un prix élevé. Tu finis par lui dire, d'une voix aiguisée par l'ironie, que dans ta vie les cadeaux étaient toujours utiles. La pierre, par exemple, ce serait bien si on pouvait s'en servir de pilon. Il rit, longtemps et fort, mais pas toi. Tu te rendis compte que dans sa vie on pouvait acheter des cadeaux qui n'étaient que des cadeaux et rien d'autre, rien d'utile. Lorsqu'il se mit à t'offrir des chaussures, des vêtements et des livres, tu lui demandas d'arrêter, tu ne voulais pas de cadeaux du tout. Il les achetait quand même et tu les gardais pour tes cousins, tes oncles et tes tantes, pour le jour où tu pourrais, enfin, aller au pays, même si tu ne savais pas comment tu arriverais jamais à te payer un billet d'avion *en plus* de ton loyer. Il disait qu'il voulait vraiment voir le Nigeria et qu'il pouvait payer pour votre voyage à tous les deux. Tu ne voulais pas que ce soit lui qui paie quand tu irais au pays. Tu ne voulais pas qu'il aille au Nigeria,

to add it to the list of countries where he went to gawk at the lives of poor people who could never gawk back at *his* life. You told him this on a sunny day, when he took you to see Long Island Sound, and the two of you argued, your voices raised as you walked along the calm water. He said you were wrong to call him self-righteous. You said he was wrong to call only the poor Indians in Bombay the real Indians. Did it mean he wasn't a real American, since he was not like the poor fat people you and he had seen in Hartford? He hurried ahead of you, his upper body bare and pale, his flip-flops raising bits of sand, but then he came back and held out his hand for yours. You made up and made love and ran your hands through each other's hair, his soft and yellow like the swinging tassels of growing corn, yours dark and bouncy like the filling of a pillow. He had got too much sun and his skin turned the color of a ripe watermelon and you kissed his back before you rubbed lotion on it.

The thing that wrapped itself around your neck, that nearly choked you before you fell asleep, started to loosen, to let go.

You knew by people's reactions that you two were abnormal—the way the nasty ones were too nasty and the nice ones too nice.

qu'il l'ajoute à la liste des pays qu'il visitait pour s'ébahir devant le spectacle de la vie de gens pauvres qui ne pourraient jamais, à leur tour, s'ébahir devant le spectacle de sa vie à lui. Cela, tu le dis par une journée ensoleillée où il t'avait emmenée voir le détroit de Long Island, et vous vous êtes disputés, tous les deux, haussant la voix tout en marchant le long de l'eau calme. Il dit que tu avais tort de le traiter de moralisateur. Tu dis qu'il avait tort de qualifier les seuls Indiens pauvres de Bombay de vrais Indiens. Cela signifiait-il qu'il n'était pas un vrai Américain, puisqu'il n'était pas pauvre et gros comme les gens que vous aviez vus tous les deux à Hartford? Il te dépassa d'un pas vif, le haut du corps pâle et nu, s'éloigna en soulevant du sable avec ses tongs, mais il revint vers toi et te tendit la main. Vous vous étiez réconciliés et vous aviez fait l'amour, passant la main dans les cheveux l'un de l'autre, les siens doux et blonds comme les barbes dansantes des jeunes maïs, les tiens foncés et élastiques comme les crins d'un oreiller. Il avait pris un coup de soleil et sa peau était devenue de la couleur d'une pastèque mûre, et tu lui avais embrassé le dos avant de l'enduire de lait hydratant.

Cette chose qui s'enroulait autour de ton cou, qui manquait t'étouffer avant que tu t'endormes, commença à se desserrer, à lâcher prise.

Tu voyais aux réactions des gens que vous formiez un couple anormal – les méchants qui étaient trop méchants et les gentils trop gentils.

The old white men and women who muttered and glared at him, the black men who shook their heads at you, the black women whose pitying eyes bemoaned your lack of self-esteem, your self-loathing. Or the black women who smiled swift solidarity smiles; the black men who tried too hard to forgive you, saying a too-obvious hi to him; the white men and women who said "What a good-looking pair" too brightly, too loudly, as though to prove their own open-mindedness to themselves.

But his parents were different; they almost made you think it was all normal. His mother told you that he had never brought a girl to meet them, except for his high school prom date, and he grinned stiffly and held your hand. The tablecloth shielded your clasped hands. He squeezed your hand and you squeezed back and wondered why he was so stiff, why his extra-virgin-olive-oil-colored eyes darkened as he spoke to his parents. His mother was delighted when she asked if you'd read Nawal el Saadawi and you said yes. His father asked how similar Indian food was to Nigerian food and teased you about paying when the check came. You looked at them and felt grateful that they did not examine you like an exotic trophy, an ivory tusk.

Afterwards, he told you about his issues with his parents,

Les vieilles dames et vieux messieurs blancs qui le fusillaient du regard en marmonnant, les hommes noirs qui secouaient la tête, les femmes noires dont les yeux pleins de pitié déploraient ton manque d'amour-propre, ton mépris de toi-même. Les femmes noires qui te décochaient de rapides sourires de solidarité ; les hommes noirs qui se forçaient à te pardonner, qui lui lançaient un bonjour trop appuyé ; les Blancs, femmes et hommes, qui disaient « Quel beau couple » d'une voix trop forte et trop enthousiaste, comme pour se prouver leur propre ouverture d'esprit.

Ses parents, en revanche, étaient différents ; ils te donnaient presque l'impression que c'était tout à fait normal. Sa mère te dit qu'il ne leur avait jamais présenté de fille, sauf celle qu'il avait invitée au bal du lycée, et il eut un sourire crispé et attrapa ta main. La nappe cachait vos mains jointes. Il serra fort ta main et tu lui rendis la pression, tout en te demandant pourquoi il était tellement raide et pourquoi ses yeux couleur d'huile d'olive extra-vierge s'assombrissaient quand il parlait à ses parents. Sa mère fut ravie, quand elle te demanda si tu avais lu Nawal el Saadawi, que tu lui répondes oui. Son père te demanda si la cuisine indienne était proche de la cuisine nigériane, et il te taquina au moment de l'addition sur qui allait payer. Tu les regardas en éprouvant de la reconnaissance qu'ils ne t'examinent pas comme un trophée exotique, une défense en ivoire.

Plus tard, il te parla de ses problèmes avec ses parents,

how they portioned out love like a birthday cake, how they would give him a bigger slice if only he'd agree to go to law school. You wanted to sympathize. But instead you were angry.

You were angrier when he told you he had refused to go up to Canada with them for a week or two, to their summer cottage in the Quebec countryside. They had even asked him to bring you. He showed you pictures of the cottage and you wondered why it was called a cottage because the buildings that big around your neighborhood back home were banks and churches. You dropped a glass and it shattered on the hardwood of his apartment floor and he asked what was wrong and you said nothing, although you thought a lot was wrong. Later, in the shower, you started to cry. You watched the water dilute your tears and you didn't know why you were crying.

You wrote home finally. A short letter to your parents, slipped in between the crisp dollar bills, and you included your address. You got a reply only days later, by courier. Your mother wrote the letter herself; you knew from the spidery penmanship, from the misspelled words.

Your father was dead; he had slumped over the steering wheel of his company car. Five months now, she wrote. They had used some of the money you sent to give him a good funeral:

qui divisaient leur amour en parts comme un gâteau d'anniversaire, et ne lui en donneraient un plus gros morceau que s'il acceptait de faire des études de droit. Tu aurais voulu partager sa peine. Mais en fait tu étais en colère.

Ta colère augmenta encore lorsqu'il te dit qu'il avait refusé de les accompagner au Canada passer une semaine ou deux dans leur petit chalet d'été au Québec. Ils lui avaient même demandé de t'emmener avec lui. Il te montra des photos et tu t'étonnas qu'ils qualifient la maison de chalet car, dans ton quartier, au pays, les bâtiments de cette taille, c'étaient des banques ou des églises. Tu fis tomber un verre qui se brisa sur le plancher de bois dur de son appartement et il te demanda ce qui n'allait pas ; rien, répondis-tu, même si tu trouvais qu'il y avait beaucoup de choses qui n'allaient pas. Plus tard, sous la douche, tu avais fondu en larmes et tu avais regardé l'eau diluer tes larmes, sans savoir pourquoi tu pleurais.

Tu finis par écrire. Une lettre courte à tes parents, glissée entre les dollars neufs, où tu donnais ton adresse. Tu reçus une réponse à peine quelques jours plus tard, livrée par coursier. Ta mère avait écrit la lettre elle-même ; tu reconnus ses pattes de mouche et ses fautes d'orthographe.

Ton père était mort, il s'était écroulé contre le volant de la voiture de l'entreprise. Cela faisait maintenant cinq mois, écrivait-elle. Ils s'étaient servis d'une partie de l'argent que tu avais envoyé pour lui faire des funérailles de qualité :

They killed a goat for the guests and buried him in a good coffin. You curled up in bed, pressed your knees to your chest, and tried to remember what you had been doing when your father died, what you had been doing for all the months when he was already dead. Perhaps your father died on the day your whole body had been covered in goose-bumps, hard as uncooked rice, that you could not explain, Juan teasing you about taking over from the chef so that the heat in the kitchen would warm you up. Perhaps your father died on one of the days you took a drive to Mystic or watched a play in Manchester or had dinner at Chang's.

He held you while you cried, smoothed your hair, and offered to buy your ticket, to go with you to see your family. You said no, you needed to go alone. He asked if you would come back and you reminded him that you had a green card and you would lose it if you did not come back in one year. He said you knew what he meant, would you come back, come back?

You turned away and said nothing, and when he drove you to the airport, you hugged him tight for a long, long moment, and then you let go.

ils avaient tué une chèvre pour les invités et avaient enterré ton père dans un cercueil de qualité. Tu te roulas en boule sur ton lit, les genoux contre la poitrine, et tu essayas de te rappeler ce que tu faisais quand ton père était mort, ce que tu avais fait pendant tous ces mois où il était déjà mort. Peut-être ton père était-il mort le jour où tu avais eu la chair de poule de la tête aux pieds, une éruption de pointes dures comme des grains de riz crus que tu ne t'expliquais pas, et où Juan t'avait taquinée en te proposant de remplacer le cuisinier pour te réchauffer dans la touffeur des fourneaux. Peut-être ton père était-il mort un des jours où vous aviez fait une virée à Mystic, regardé un match à Manchester ou dîné chez Chang's.

Il te tint dans ses bras tout le temps où tu pleuras, te caressa les cheveux, t'offrit d'acheter le billet d'avion, de t'accompagner voir ta famille. Tu lui dis non, que tu avais besoin d'y aller seule. Il te demanda si tu reviendrais et tu lui rappelas que tu avais la carte verte et que tu la perdrais si tu laissais passer une année sans revenir. Il dit que tu savais ce qu'il voulait dire ; allais-tu revenir, revenir ?

Tu t'écartas sans répondre, et lorsqu'il t'emmena à l'aéroport, tu le serras dans tes bras, très fort, très longuement, et puis tu lâchas prise.

The American Embassy
L'ambassade américaine

She stood in line outside the American embassy in Lagos, staring straight ahead, barely moving, a blue plastic file of documents tucked under her arm. She was the forty-eighth person in the line of about two hundred that trailed from the closed gates of the American embassy all the way past the smaller, vine-encrusted gates of the Czech embassy. She did not notice the newspaper vendors who blew whistles and pushed *The Guardian*, *The News*, and *The Vanguard* in her face. Or the beggars who walked up and down holding out enamel plates. Or the ice-cream bicycles that honked. She did not fan herself with a magazine or swipe at the tiny fly hovering near her ear. When the man standing behind her tapped her on the back and asked, "Do you have change, *abeg*, two tens for twenty naira?" she stared at him for a while, to focus, to remember where she was, before she shook her head and said, "No."

Elle faisait la queue devant l'ambassade américaine de Lagos en regardant droit devant elle, presque immobile, un dossier de plastique bleu sous le bras. Elle était la quarante-huitième d'une file d'environ deux cents personnes qui s'étirait du portail fermé de l'ambassade américaine jusqu'à celui de l'ambassade tchèque, plus petit et envahi de plantes grimpantes, et au-delà. Elle ne remarquait pas les vendeurs de journaux qui donnaient des coups de sifflet en lui agitant sous le nez *The Guardian*, *The News* et *The Vanguard*. Ni les mendiants qui arpentaient la rue en tendant des écuelles émaillées. Ni les klaxons des vendeurs de glaces à bicyclette. Elle ne s'éventait pas avec un magazine ni ne chassait la minuscule mouche qui voletait près de son oreille. Lorsque l'homme qui était derrière elle la tapota dans le dos et lui demanda : « Vous auriez la monnaie de vingt nairas, *abeg*, deux billets de dix ? », elle le dévisagea un moment, pour se concentrer, se souvenir de là où elle était, avant de répondre en secouant la tête : « Non. »

The air hung heavy with moist heat. It weighed on her head, made it even more difficult to keep her mind blank, which Dr. Balogun had said yesterday was what she would have to do. He had refused to give her any more tranquilizers because she needed to be alert for the visa interview. It was easy enough for him to say that, as though she knew how to go about keeping her mind blank, as though it was in her power, as though she invited those images of her son Ugonna's small, plump body crumpling before her, the splash on his chest so red she wanted to scold him about playing with the palm oil in the kitchen. Not that he could even reach up to the shelf where she kept oils and spices, not that he could unscrew the cap on the plastic bottle of palm oil. He was only four years old.

The man behind her tapped her again. She jerked around and nearly screamed from the sharp pain that ran down her back. Twisted muscle, Dr. Balogun had said, his expression awed that she had sustained nothing more serious after jumping down from the balcony.

"See what that useless soldier is doing there," the man behind her said.

She turned to look across the street, moving her neck slowly. A small crowd had gathered. A soldier was flogging a bespectacled man with a long whip that curled in the air before it landed on the man's face, or his neck,

L'air était lourd et humide. Il lui pesait sur le crâne, et ce n'en était que plus difficile de faire le vide dans son esprit, comme le Dr Balogun l'avait préconisé la veille. Il avait refusé de lui donner davantage de calmants car elle avait besoin de toute son attention pour l'entretien de demande de visa. C'était facile à dire, pour lui ; comme si elle savait comment s'y prendre pour garder l'esprit vide, comme si c'était en son pouvoir, comme si c'était elle qui appelait ces images du petit corps rebondi de son fils Ugonna s'effondrant devant elle, de la tache si rouge sur sa poitrine qu'elle aurait voulu le gronder d'avoir joué avec l'huile de palme de la cuisine. Non qu'il fût capable d'atteindre l'étagère où elle gardait les huiles et les épices, non qu'il fût capable de dévisser le capuchon de la bouteille d'huile de palme en plastique. Il n'avait que quatre ans.

L'homme derrière elle lui donna une nouvelle petite tape. Elle sursauta et faillit hurler à cause de la douleur aiguë qui lui parcourut le dos. Elle s'était froissé un muscle, avait dit le Dr Balogun, l'air impressionné qu'elle ne se soit rien fait de plus grave en sautant du balcon.

« Voyez ce que fait ce bon à rien de soldat », lui dit l'homme derrière elle.

Elle tourna la tête vers le trottoir d'en face, en bougeant lentement le cou. Un petit groupe s'était formé. Un soldat frappait un homme à lunettes à l'aide d'un long fouet qui traçait une courbe dans l'air avant de s'abattre sur le visage de l'homme, ou sur son cou –

she wasn't sure because the man's hands were raised as if to ward off the whip. She saw the man's glasses slip off and fall. She saw the heel of the soldier's boot squash the black frames, the tinted lenses.

"See how the people are pleading with the soldier," the man behind her said. "Our people have become too used to pleading with soldiers."

She said nothing. He was persistent with his friendliness, unlike the woman in front of her who had said earlier, "I have been talking to you and you just look at me like a moo-moo!" and now ignored her. Perhaps he was wondering why she did not share in the familiarity that had developed among the others in the line. Because they had all woken up early—those who had slept at all—to get to the American embassy before dawn; because they had all struggled for the visa line, dodging the soldiers' swinging whips as they were herded back and forth before the line was finally formed; because they were all afraid that the American embassy might decide not to open its gates today, and they would have to do it all over again the day after tomorrow since the embassy did not open on Wednesdays, they had formed friendships. Buttoned-up men and women exchanged newspapers and denunciations of General Abacha's government, while young people in jeans, bristling with savoir faire, shared tips on ways to answer questions for the American student visa.

elle n'aurait su le dire car il levait les mains comme pour parer le fouet. Elle vit ses lunettes glisser et tomber. Elle vit le godillot du soldat écraser sous son talon la monture noire, les verres teintés.

« Voyez comment les gens supplient le soldat, poursuivit l'homme derrière elle. Notre peuple a trop pris l'habitude de supplier les soldats. »

Elle ne dit rien. Il insistait à se montrer liant, contrairement à la femme devant elle qui lui avait dit un peu plus tôt : « Je vous parle, je vous parle, et vous me regardez d'un œil bovin ! » et qui à présent l'ignorait. Peut-être se demandait-il pourquoi elle ne partageait pas la familiarité qui s'était instaurée entre les autres personnes de la queue. Parce qu'ils s'étaient tous levés tôt – pour ceux qui avaient dormi – pour être à l'ambassade avant l'aurore, parce qu'ils s'étaient tous démenés pour entrer dans la file d'attente des visas, esquivant les coups de fouet des soldats qui avaient bousculé le groupe en tous sens avant que la queue finisse par se former, parce qu'ils avaient tous peur que l'ambassade américaine décide de ne pas ouvrir ses portes ce jour-là et qu'ils doivent tout recommencer le surlendemain, puisque l'ambassade n'ouvrait pas le mercredi, ils avaient établi des rapports amicaux. Des hommes et des femmes guindés échangeaient des journaux et dénonçaient les abus du gouvernement du général Abacha, tandis que des jeunes en jeans, tout pleins de leur savoir-faire, se donnaient des tuyaux sur les meilleures façons de répondre aux questions pour le visa d'étudiant américain.

"Look at his face, all that bleeding. The whip cut his face," the man behind her said.

She did not look, because she knew the blood would be red, like fresh palm oil. Instead she looked up Eleke Crescent, a winding street of embassies with vast lawns, and at the crowds of people on the sides of the street. A breathing sidewalk. A market that sprung up during the American embassy hours and disappeared when the embassy closed. There was the chair-rental outfit where the stacks of white plastic chairs that cost one hundred naira per hour decreased fast. There were the wooden boards propped on cement blocks, colorfully displaying sweets and mangoes and oranges. There were the young people who cushioned cigarette-filled trays on their heads with rolls of cloth. There were the blind beggars led by children, singing blessings in English, Yoruba, pidgin, Igbo, Hausa when somebody put money in their plates. And there was, of course, the makeshift photo studio. A tall man standing beside a tripod, holding up a chalk-written sign that read EXCELLENT ONE-HOUR PHOTOS, CORRECT AMERICAN VISA SPECIFICATIONS. She had had her passport photo taken there, sitting on a rickety stool, and she was not surprised that it came out grainy, with her face much lighter-skinned. But then, she had no choice, she couldn't have taken the photo earlier.

« Regardez son visage, comme il saigne. Le fouet lui a entaillé le visage », dit l'homme derrière elle.

Elle ne regarda pas car elle savait que le sang serait rouge, comme de l'huile de palme fraîche. Au lieu de quoi, elle porta les yeux vers Eleke Crescent, une rue sinueuse bordée d'ambassades aux vastes pelouses, et vers les foules amassées des deux côtés. Un trottoir vivant. Un marché qui sortait de terre pendant les heures d'ouverture de l'ambassade américaine et disparaissait à sa fermeture. Il y avait le stand de location de chaises, avec ses piles de chaises en plastique blanc à cent nairas de l'heure qui baissaient rapidement. Il y avait les planches en bois appuyées sur des blocs de ciment, aux étals colorés chargés de bonbons, de mangues et d'oranges. Il y avait les jeunes gens qui doublaient de rouleaux de tissu les plateaux de cigarettes qu'ils portaient sur la tête. Il y avait les mendiants aveugles guidés par des enfants, qui chantaient des bénédictions en anglais, yoruba, pidgin, ibo et haoussa quand quelqu'un mettait de l'argent dans leurs écuelles. Et il y avait, bien sûr, le labo photo de fortune. Un homme de grande taille debout à côté d'un trépied, qui tenait une pancarte à la craie disant EXCELLENTES PHOTOS EN UNE HEURE, AUX NORMES DES VISAS AMÉRICAINS. C'était là qu'elle avait fait faire sa photo de passeport, assise sur un tabouret branlant, et elle n'avait pas été étonnée de voir que la photo avait du grain et lui faisait la peau bien plus claire qu'elle ne l'était. Cela étant, elle n'avait pas eu le choix, elle n'aurait pas pu la faire faire avant.

Two days ago she had buried her child in a grave near a vegetable patch in their ancestral hometown of Umunnachi, surrounded by well-wishers she did not remember now. The day before, she had driven her husband in the boot of their Toyota to the home of a friend, who smuggled him out of the country. And the day before that, she hadn't needed to take a passport photo; her life was normal and she had taken Ugonna to school, had bought him a sausage roll at Mr. Biggs, had sung along with Majek Fashek on her car radio. If a fortune-teller had told her that she, in the space of a few days, would no longer recognize her life, she would have laughed. Perhaps even given the fortune-teller ten naira extra for having a wild imagination.

"Sometimes I wonder if the American embassy people look out of their window and enjoy watching the soldiers flogging people," the man behind her was saying. She wished he would shut up. It was his talking that made it harder to keep her mind blank, free of Ugonna. She looked across the street again; the soldier was walking away now, and even from this distance she could see the glower on his face. The glower of a grown man who could flog another grown man if he wanted to, when he wanted to. His swagger was as flamboyant as that of the men who four nights ago broke her back door open and barged in.

Deux jours plus tôt, elle avait enterré son enfant près d'un potager dans leur ville ancestrale d'Umunnachi, entourée de gens venus exprimer leur soutien, et dont elle ne se souvenait plus à présent. La veille, elle avait conduit son mari, dans le coffre de leur Toyota, chez un ami qui l'avait fait sortir du pays. Et l'avant-veille, elle n'aurait pas eu besoin de prendre une photo d'identité ; sa vie était normale, elle avait emmené Ugonna à l'école, lui avait acheté un friand à la saucisse chez Mr Biggs, avait chanté sur Majek Fashek en l'écoutant à son autoradio. Si une voyante lui avait dit qu'en l'espace de quelques jours elle ne reconnaîtrait plus sa vie, elle aurait ri. Peut-être même aurait-elle donné dix nairas de plus à la voyante pour son imagination débridée.

« Quelquefois, je me demande si les gens de l'ambassade américaine regardent par leur fenêtre et prennent plaisir à voir les soldats fouetter les gens », disait l'homme derrière elle. Qu'il se taise, souhaitait-elle. C'était de l'entendre parler qui la gênait pour garder l'esprit vide, libre de toute pensée d'Ugonna. Elle regarda en face de nouveau ; le soldat s'éloignait à présent, mais même à cette distance, elle vit son regard mauvais. Le regard mauvais d'un adulte qui peut fouetter un autre adulte si bon lui semble, quand bon lui semble. Il marchait d'une démarche aussi fanfaronne que les hommes qui avaient cassé sa porte l'autre soir, il y avait de cela quatre jours, et fait irruption chez eux.

Where is your husband? Where is he? They had torn open the wardrobes in the two rooms, even the drawers. She could have told them that her husband was over six feet tall, that he could not possibly hide in a drawer. Three men in black trousers. They had smelled of alcohol and pepper soup, and much later, as she held Ugonna's still body, she knew that she would never eat pepper soup again.

Where has your husband gone? Where? They pressed a gun to her head, and she said, "I don't know, he just left yesterday," standing still even though the warm urine trickled down her legs.

One of them, the one wearing a black hooded shirt who smelled the most like alcohol, had eyes that were startlingly bloodshot, so red they looked painful. He shouted the most, kicked at the TV set. *You know about the story your husband wrote in the newspaper? You know he is a liar? You know people like him should be in jail because they cause trouble, because they don't want Nigeria to move forward?*

He sat down on the sofa, where her husband always sat to watch the nightly news on NTA, and yanked at her so that she landed awkwardly on his lap. His gun poked her waist. *Fine woman, why you marry a troublemaker?* She felt his sickening hardness, smelled the fermentation on his breath.

Leave her alone, the other one said.

Où est ton mari ? Où est-il ? Ils avaient ouvert les penderies des deux chambres, même les tiroirs. Elle aurait pu leur dire que son mari mesurait plus d'un mètre quatre-vingts, qu'il ne pouvait décemment pas se cacher dans un tiroir. Trois hommes en pantalon noir. Ils sentaient l'alcool et le pépé-soupe et, beaucoup plus tard, tenant le corps immobile d'Ugonna dans ses bras, elle sut qu'elle ne mangerait plus jamais de pépé-soupe.

Où est parti ton mari ? Où est-il ? Ils lui pressèrent un revolver contre la tête et elle répondit : « Je ne sais pas, il est parti hier seulement », immobile malgré le filet d'urine tiède qui coulait le long de ses jambes.

L'un des hommes, celui au tee-shirt noir à capuche qui sentait le plus l'alcool, avait les yeux étonnamment injectés de sang, si rouges qu'ils paraissaient douloureux. C'était lui qui criait le plus, qui donna des coups de pied dans la télévision. *Tu es au courant de l'histoire que ton mari a écrite dans le journal ? Tu sais que c'est un menteur ? Tu sais que les gens comme lui devraient être en prison parce que ce sont des fauteurs de troubles, parce qu'ils ne veulent pas que le Nigeria progresse ?*

Il s'assit sur le canapé, à la place qu'occupait toujours son mari pour regarder le journal du soir sur NTA, et la tira d'un geste brutal, ce qui la fit tomber maladroitement sur ses genoux. Son revolver s'enfonça dans sa taille. *Jolie femme, pourquoi tu épouses un fauteur de troubles ?* Elle sentit son érection dégoûtante, l'odeur fermentée de son haleine.

Laisse-la tranquille, dit un autre.

The one with the bald head that gleamed, as though coated in Vaseline. *Let's go.*

She pried herself free and got up from the sofa, and the man in the hooded shirt, still seated, slapped her behind. It was then that Ugonna started to cry, to run to her. The man in the hooded shirt was laughing, saying how soft her body was, waving his gun. Ugonna was screaming now; he never screamed when he cried, he was not that kind of child. Then the gun went off and the palm oil splash appeared on Ugonna's chest.

"See oranges here," the man in line behind her said, offering her a plastic bag of six peeled oranges. She had not noticed him buy them.

She shook her head. "Thank you."

"Take one. I noticed that you have not eaten anything since morning."

She looked at him properly then, for the first time. A nondescript face with a dark complexion unusually smooth for a man. There was something aspirational about his crisp-ironed shirt and blue tie, about the careful way he spoke English as though he feared he would make a mistake. Perhaps he worked for one of the new-generation banks and was making a much better living than he had ever imagined possible.

"No, thank you," she said. The woman in front turned to glance at her and then went back to talking to some people about a special church service called the American Visa Miracle Ministry.

Celui dont le crâne chauve luisait comme s'il l'avait enduit de vaseline. *Allons-nous-en.*

Elle parvint à se dégager et se leva ; l'homme au tee-shirt à capuche, encore assis sur le canapé, lui donna une claque sur les fesses. C'est alors qu'Ugonna se mit à pleurer, à courir vers elle. L'homme au tee-shirt à capuche riait ; il disait qu'elle avait le corps tout mou, agitait son arme. Ugonna hurlait à présent ; il ne hurlait jamais quand il pleurait, ce n'était pas ce genre d'enfant. Et puis le coup de feu partit et la tache d'huile de palme surgit sur la poitrine d'Ugonna.

« Tenez, des oranges », dit l'homme derrière elle en lui tendant un sac plastique contenant six oranges épluchées. Elle ne l'avait pas vu les acheter.

Elle secoua la tête. « Merci.

— Prenez-en une. J'ai remarqué que vous n'aviez rien mangé depuis ce matin. »

Elle le regarda alors pour de bon, pour la première fois. Un visage quelconque, au teint foncé étonnamment lisse pour un homme. Sa chemise impeccablement repassée et sa cravate bleue dénotaient de l'ambition, ainsi que son anglais parlé avec circonspection, comme s'il craignait de faire une faute. Peut-être qu'il travaillait dans une des banques de nouvelle génération et qu'il gagnait bien mieux sa vie qu'il ne l'aurait jamais cru possible.

« Non merci », dit-elle. La femme devant elle tourna la tête et lui jeta un coup d'œil, puis reprit sa conversation, racontant qu'il y avait un service religieux spécial qui s'appelait le Saint Ministère du miracle du visa américain.

"You should eat, oh," the man behind her said, although he no longer held out the bag of oranges.

She shook her head again; the pain was still there, somewhere between her eyes. It was as if jumping from the balcony had dislodged some bits and pieces inside her head so that they now clattered painfully. Jumping had not been her only choice, she could have climbed onto the mango tree whose branch reached across the balcony, she could have dashed down the stairs. The men had been arguing, so loudly that they blocked out reality, and she believed for a moment that maybe that popping sound had not been a gun, maybe it was the kind of sneaky thunder that came at the beginning of harmattan, maybe the red splash really was palm oil, and Ugonna had gotten to the bottle somehow and was now playing a fainting game even though it was not a game he had ever played. Then their words pulled her back. *You think she will tell people it was an accident? Is this what Oga asked us to do? A small child! We have to hit the mother. No, that is double trouble. Yes. No, let's go, my friend!*

She had dashed out to the balcony then, climbed over the railing, jumped down without thinking of the two storeys, and crawled into the dustbin by the gate. After she heard the roar of their car driving away, she went back to her flat, smelling of the rotten plantain peels in the dustbin.

« Vous devriez manger, oh », dit l'homme derrière elle, qui ne lui tendait plus le sac d'oranges, cependant.

Elle secoua de nouveau la tête ; la douleur était toujours présente, quelque part entre ses yeux. À croire que sauter du balcon lui avait déglingué l'intérieur du crâne et que des pièces s'y entrechoquaient maintenant douloureusement. Sauter n'avait pas été sa seule option, elle aurait pu grimper sur le manguier dont une branche barrait le balcon ou foncer dans l'escalier. Les hommes se disputaient, si fort que leurs cris oblitéraient la réalité, et un bref instant elle avait cru que cette détonation n'était peut-être pas un coup de feu, que c'était peut-être un de ces orages qui éclatent en traître au début de l'harmattan, que la tache rouge était peut-être de l'huile de palme, et qu'Ugonna aurait mis la main sur la bouteille d'une façon ou d'une autre et jouait à s'évanouir, même si ce n'était pas un jeu auquel il avait jamais joué. Puis leurs paroles l'avaient ramenée sur terre. *Tu t'imagines qu'elle va dire aux gens que c'était un accident ? C'est ça qu'Oga nous a demandé de faire ? Un petit enfant ! Nous devons tuer la mère. Non, c'est double d'ennuis. Si. Non, allons-nous-en, mon ami !*

Alors elle avait foncé sur le balcon, enjambé la balustrade, sauté sans penser aux deux étages et grimpé dans la poubelle, à côté du portail. Après avoir entendu le vrombissement de leur voiture qui s'éloignait, elle était retournée à son appartement, imprégnée de l'odeur des peaux de plantain pourries de la poubelle.

She held Ugonna's body, placed her cheek to his quiet chest, and realized that she had never felt so ashamed. She had failed him.

"You are anxious about the visa interview, *abi*?" the man behind her asked.

She shrugged, gently, so as not to hurt her back, and forced a vacant smile.

"Just make sure that you look the interviewer straight in the eye as you answer the questions. Even if you make a mistake, don't correct yourself, because they will assume you are lying. I have many friends they have refused, for small-small reasons. Me, I am applying for a visitor's visa. My brother lives in Texas and I want to go for a holiday."

He sounded like the voices that had been around her, people who had helped with her husband's escape and with Ugonna's funeral, who had brought her to the embassy. Don't falter as you answer the questions, the voices had said. Tell them all about Ugonna, what he was like, but don't overdo it, because every day people lie to them to get asylum visas, about dead relatives that were never even born. Make Ugonna real. Cry, but don't cry too much.

"They don't give our people immigrant visas anymore, unless the person is rich by American standards.

Elle avait pris le corps d'Ugonna dans ses bras, posé la joue contre sa poitrine silencieuse, et s'était rendu compte qu'elle n'avait jamais eu autant honte. Elle lui avait fait défaut.

« Vous êtes inquiète pour l'entretien pour le visa, *abi* ? » demanda l'homme derrière elle.

Elle haussa les épaules, doucement pour ne pas se faire mal au dos, et se força à esquisser un sourire absent.

« Faites bien attention à regarder la personne dans les yeux quand vous répondrez à ses questions, c'est tout. Même si vous vous trompez, ne vous reprenez pas, sinon ils en concluront que vous mentez. J'ai beaucoup d'amis qu'ils ont refusés, pour des raisons petites-petites. Moi, je demande un visa de tourisme. Mon frère vit au Texas et je veux aller passer des vacances là-bas. »

Il parlait comme les voix qui l'avaient entourée, les gens qui l'avaient aidée à faire fuir son mari et à enterrer Ugonna, qui l'avaient amenée à l'ambassade. N'hésite pas quand tu répondras aux questions, avaient dit les voix. Dis-leur tout sur Ugonna, dis-leur comment il était, mais n'en fais pas trop parce que tous les jours, des gens leur mentent pour obtenir des visas d'asile, en leur parlant de la mort de proches qui n'ont jamais existé. Donne-leur une image réelle d'Ugonna. Pleure, mais ne pleure pas trop.

« Ils ne donnent plus de visas d'immigration aux gens de chez nous, sauf si la personne répond aux critères américains de la richesse.

But I hear people from European countries have no problems getting visas. Are you applying for an immigrant visa or a visitor's?" the man asked.

"Asylum." She did not look at his face; rather, she felt his surprise.

"Asylum? That will be very difficult to prove."

She wondered if he read *The New Nigeria*, if he knew about her husband. He probably did. Everyone supportive of the pro-democracy press knew about her husband, especially because he was the first journalist to publicly call the coup plot a sham, to write a story accusing General Abacha of inventing a coup so that he could kill and jail his opponents. Soldiers had come to the newspaper office and carted away large numbers of that edition in a black truck; still, photocopies got out and circulated throughout Lagos—a neighbor had seen a copy pasted on the wall of a bridge next to posters announcing church crusades and new films. The soldiers had detained her husband for two weeks and broken the skin on his forehead, leaving a scar the shape of an L. Friends had gingerly touched the scar when they gathered at their flat to celebrate his release, bringing bottles of whiskey. She remembered somebody saying to him, *Nigeria will be well because of you*, and she remembered her husband's expression, that look of the excited messiah, as he talked about the soldier who had given him a cigarette after beating him,

Mais il paraît que les gens des pays européens n'ont pas de mal à obtenir leurs visas. Vous faites une demande de visa d'immigration ou de tourisme ?

— D'asile. » Elle ne regarda pas son visage ; elle sentit sa surprise, plutôt.

« D'asile ? dit-il. Ça va être très difficile à prouver. »

Elle se demanda s'il lisait *The New Nigeria,* s'il avait entendu parler de son mari. Probablement. Tous ceux qui soutenaient la presse pro-démocratie savaient qui était son mari, d'autant plus qu'il avait été le premier journaliste à qualifier ouvertement le coup d'État d'imposture, à écrire un article accusant le général Abacha d'avoir inventé un coup d'État pour pouvoir tuer ou mettre en prison ses adversaires. Des soldats étaient venus au siège du journal et avaient embarqué de nombreux exemplaires de cette édition dans un camion noir ; des photocopies avaient quand même circulé dans Lagos – un voisin en avait vu une collée sur un pont, à côté d'affiches annonçant des campagnes lancées par des églises ou de nouveaux films. Les soldats avaient gardé son mari pendant quinze jours et lui avaient entaillé le front, lui faisant une cicatrice en forme de L. Des amis avaient touché la cicatrice du bout des doigts quand ils s'étaient réunis à leur appartement pour célébrer sa libération, en apportant des bouteilles de whisky. Elle se souvenait que quelqu'un lui avait dit : *Le Nigeria ira bien grâce à toi,* et elle se souvenait de l'expression de son mari, de son air de messie exalté lorsqu'il leur avait raconté le soldat qui lui avait offert une cigarette après l'avoir battu,

all the while stammering in the way he did when he was in high spirits. She had found that stammer endearing years ago; she no longer did.

"Many people apply for asylum visa and don't get it," the man behind her said. Loudly. Perhaps he had been talking all the while.

"Do you read *The New Nigeria*?" she asked. She did not turn to face the man, instead she watched a couple ahead in the line buy packets of biscuits; the packets crackled as they opened them.

"Yes. Do you want it? The vendors may still have some copies."

"No. I was just asking."

"Very good paper. Those two editors, they are the kind of people Nigeria needs. They risk their lives to tell us the truth. Truly brave men. If only we had more people with that kind of courage."

It was not courage, it was simply an exaggerated selfishness. A month ago, when her husband forgot about his cousin's wedding even though they had agreed to be wedding sponsors, telling her he could not cancel his trip to Kaduna because his interview with the arrested journalist there was too important, she had looked at him, the distant, driven man she had married, and said, "You are not the only one who hates the government." She went to the wedding alone and he went to Kaduna, and when he came back, they said little to each other;

en bégayant tout le long de son récit, comme quand il était enthousiaste. Il y a quelques années, elle trouvait ce bégaiement attachant ; plus maintenant.

« Beaucoup de gens demandent l'asile et ne l'obtiennent pas », dit l'homme derrière elle. Fort. Peut-être qu'il avait parlé pendant tout ce temps.

« Est-ce que vous lisez *The New Nigeria* ? » lui demanda-t-elle, sans se retourner pour le regarder, mais en observant à la place un couple, dans la queue, qui achetait des paquets de biscuits ; ils firent crisser les emballages en les ouvrant.

« Oui. Vous le voulez ? Les vendeurs en ont peut-être encore quelques-uns.

— Non, je vous demandais juste ça comme ça.

— Très bon journal. Ces deux rédacteurs en chef, c'est le genre de gens dont le Nigeria a besoin. Ils risquent leur vie pour nous dire la vérité. Des hommes qui ont un vrai courage. Si seulement nous avions plus de gens de cette trempe. »

Ce n'était pas du courage, c'était juste un égoïsme démesuré. Un mois plus tôt, lorsque son mari avait oublié le mariage de son cousin alors qu'ils avaient accepté d'être les témoins, qu'il lui avait dit qu'il ne pouvait pas annuler son voyage à Kaduna parce que l'interview qu'il voulait faire avec le journaliste arrêté était trop importante, elle avait regardé cet homme distant et passionné par sa cause qu'elle avait épousé, et elle lui avait dit : « Tu n'es pas le seul à détester le gouvernement. » Elle était allée seule au mariage et lui était allé à Kaduna, et à son retour, ils ne s'étaient pas dit grand-chose ;

much of their conversation had become about Ugonna, anyway. You will not believe what this boy did today, she would say when he came home from work, and then go on to recount in detail how Ugonna had told her that there was pepper in his Quaker Oats and so he would no longer eat it, or how he had helped her draw the curtains.

"So you think what those editors do is bravery?" She turned to face the man behind her.

"Yes, of course. Not all of us can do it. That is the real problem with us in this country, we don't have enough brave people." He gave her a long look, righteous and suspicious, as though he was wondering if she was a government apologist, one of those people who criticized the pro-democracy movements, who maintained that only a military government would work in Nigeria. In different circumstances, she might have told him of her own journalism, starting from university in Zaria, when she had organized a rally to protest General Buhari's government's decision to cut student subsidies. She might have told him how she wrote for the *Evening News* here in Lagos, how she did the story on the attempted murder of the publisher of *The Guardian*, how she had resigned when she finally got pregnant, because she and her husband had tried for four years and she had a womb full of fibroids.

leurs conversations ne portaient pratiquement plus que sur Ugonna, de toute façon. Tu ne croiras pas ce que ce garçon a fait aujourd'hui, lui disait-elle, par exemple, quand il rentrait du travail, puis elle lui racontait en détail qu'Ugonna avait déclaré qu'il y avait du poivre dans ses Quaker Oats et que par conséquent il n'en mangerait plus, ou qu'il l'avait aidée à tirer les rideaux.

« Alors vous croyez que ce qu'ils font, ces rédacteurs en chef, c'est du courage ? » Et elle se tourna pour faire face à l'homme derrière elle.

« Oui, bien sûr. On n'en est pas tous capables. C'est ça, le véritable problème dans ce pays, nous n'avons pas assez de gens courageux. » Il la gratifia d'un long regard, méfiant et moralisateur, comme s'il la soupçonnait d'être une apologiste du gouvernement, une de ces personnes qui critiquaient les mouvements pro-démocratie, qui maintenaient que seul un gouvernement militaire pouvait marcher au Nigeria. Dans d'autres circonstances, elle lui aurait parlé de son expérience de journaliste, en commençant par l'université de Zaria, où elle avait organisé un rassemblement pour protester contre la décision du gouvernement du général Buhari de réduire les subventions destinées aux étudiants. Elle lui aurait peut-être dit qu'elle avait travaillé pour l'*Evening News*, ici à Lagos, qu'elle avait écrit l'article sur la tentative d'assassinat de l'éditeur du *Guardian*, qu'elle avait démissionné quand elle était enfin tombée enceinte, parce qu'ils essayaient depuis quatre ans, avec son mari, et qu'elle avait l'utérus plein de fibromes.

She turned away from the man and watched the beggars make their rounds along the visa line. Rangy men in grimy long tunics who fingered prayer beads and quoted the Koran; women with jaundiced eyes who had sickly babies tied to their backs with threadbare cloth; a blind couple led by their daughter, blue medals of the Blessed Virgin Mary hanging around their necks below tattered collars. A newspaper vendor walked over, blowing his whistle. She could not see *The New Nigeria* among the papers balanced on his arm. Perhaps it had sold out. Her husband's latest story, "The Abacha Years So Far: 1993 to 1997", had not worried her at first, because he had written nothing new, only compiled killings and failed contracts and missing money. It was not as if Nigerians did not already know these things. She had not expected much trouble, or much attention, but only a day after the paper came out, BBC radio carried the story on the news and interviewed an exiled Nigerian professor of politics who said her husband deserved a Human Rights Award. *He fights repression with the pen, he gives a voice to the voiceless, he makes the world know.*

Her husband had tried to hide his nervousness from her. Then, after someone called him anonymously—he got anonymous calls all the time, he was that kind of journalist, the kind who cultivated friendships along the way—

Elle détourna la tête et observa les mendiants qui parcouraient la queue pour les visas. Des hommes efflanqués en longues tuniques crasseuses, qui maniaient des chapelets et citaient le Coran ; des femmes au regard amer, qui portaient dans le dos des enfants maladifs, attachés par des tissus élimés ; un couple d'aveugles guidés par leur fille, des médailles bleues de la Sainte Vierge glissées sous leurs cols en haillons. Un vendeur de journaux s'approcha en donnant des coups de sifflet. Elle ne vit pas *The New Nigeria* parmi les journaux calés sur son bras. Peut-être était-il épuisé. Le dernier article de son mari, « Les années Abacha d'hier à aujourd'hui : de 1993 à 1997 », ne l'avait pas inquiétée, au début, parce qu'il n'y écrivait rien de nouveau, il dressait seulement un inventaire des assassinats, des contrats jamais honorés et de l'argent manquant dans les caisses. Ce n'était pas comme si les Nigérians n'étaient pas déjà au courant de ces choses-là. Elle n'avait pas escompté que l'article ferait des vagues, ni grand bruit, mais dès le lendemain de sa parution, la station de radio de la BBC en avait parlé aux nouvelles et avait interviewé un professeur de sciences politiques nigérian en exil, lequel avait dit que son mari méritait un prix des Droits humains. *Il combat la répression avec sa plume, il donne une voix à ceux qui n'en ont pas, il informe le monde.*

Son mari avait essayé de lui cacher son inquiétude. Puis, après avoir reçu un coup de fil anonyme (il en recevait tout le temps, c'était ce genre de journaliste, le genre à nouer des amitiés au cours de ses enquêtes)

to say that the head of state was personally furious, he no longer hid his fear; he let her see his shaking hands. Soldiers were on their way to arrest him, the caller said. The word was, it would be his last arrest, he would never come back. He climbed into the boot of the car minutes after the call, so that if the soldiers asked, the gateman could honestly claim not to know when her husband had left. She took Ugonna down to a neighbor's flat and then quickly sprinkled water in the boot, even though her husband told her to hurry, because she felt somehow that a wet boot would be cooler, that he would breathe better. She drove him to his coeditor's house. The next day, he called her from Benin Republic; the coeditor had contacts who had sneaked him over the border. His visa to America, the one he got when he went for a training course in Atlanta, was still valid, and he would apply for asylum when he arrived in New York. She told him not to worry, she and Ugonna would be fine, she would apply for a visa at the end of the school term and they would join him in America. That night, Ugonna was restless and she let him stay up and play with his toy car while she read a book. When she saw the three men burst in through the kitchen door, she hated herself for not insisting that Ugonna go to bed. If only—

"Ah, this sun is not gentle at all.

comme quoi le chef de l'État en personne était furieux, il ne cacha plus sa peur; il lui laissa voir le tremblement de ses mains. Des soldats étaient en route pour l'arrêter, avait dit l'anonyme. Selon la rumeur ce serait sa dernière arrestation, il ne reviendrait jamais. Il grimpa dans le coffre quelques minutes après le coup de fil, pour que, si les soldats posaient la question, le portier puisse affirmer en toute honnêteté qu'il ne savait pas quand son mari était parti. Elle emmena Ugonna chez une voisine, puis aspergea vite l'intérieur du coffre avec de l'eau, malgré son mari qui lui disait de se dépêcher, parce qu'elle avait l'impression qu'un coffre mouillé serait plus frais, qu'il y respirerait mieux. Elle l'avait conduit à la maison de son corédacteur en chef. Le lendemain, il l'appelait de la République du Bénin; le corédacteur en chef avait des contacts qui lui avaient fait passer la frontière en catimini. Son visa pour l'Amérique, qu'il avait obtenu lorsqu'il était allé suivre une formation à Atlanta, était encore valide, et il ferait une demande d'asile à New York. Elle lui dit de ne pas s'inquiéter pour Ugonna et elle, que tout irait bien, elle demanderait un visa à la fin du trimestre scolaire et ils le rejoindraient en Amérique. Ce soir-là, Ugonna avait été agité, et elle lui avait permis de veiller et de jouer avec sa petite voiture pendant qu'elle lisait un livre. Lorsqu'elle vit les trois hommes faire irruption par la porte de la cuisine, elle s'en voulut terriblement de ne pas avoir envoyé Ugonna au lit malgré tout. Si seulement...

« Ah, ce soleil n'est pas doux du tout.

These American Embassy people should at least build a shade for us. They can use some of the money they collect for visa fee," the man behind her said.

Somebody behind him said the Americans were collecting the money for their own use. Another person said it was intentional to keep applicants waiting in the sun. Yet another laughed. She motioned to the blind begging couple and fumbled in her bag for a twenty-naira note. When she put it in the bowl, they chanted, "God bless you, you will have money, you will have good husband, you will have good job," in Pidgin English and then in Igbo and Yoruba. She watched them walk away. They had not told her, "You will have many good children." She had heard them tell that to the woman in front of her.

The embassy gates swung open and a man in a brown uniform shouted, "First fifty on the line, come in and fill out the forms. All the rest, come back another day. The embassy can attend to only fifty today."

"We are lucky, *abi*?" the man behind her said.

She watched the visa interviewer behind the glass screen, the way her limp auburn hair grazed the folded neck,

Ces gens de l'ambassade américaine devraient quand même nous construire un abri. Ils pourraient se servir d'une partie de l'argent qu'ils recueillent pour les visas », dit l'homme derrière elle.

Quelqu'un, derrière lui, dit que les Américains recueillaient cet argent pour leur propre usage. Quelqu'un d'autre dit que c'était voulu que les demandeurs de visa attendent en plein soleil. Quelqu'un d'autre encore rit. Elle fit signe au couple aveugle et chercha un billet de vingt nairas dans son sac. Lorsqu'elle le mit dans le bol, ils psalmodièrent : « Dieu te bénisse, tu auras de l'argent, tu auras bon mari, tu auras bon travail » en pidgin, puis en ibo et en yoruba. Elle les regarda s'éloigner. Ils ne lui avaient pas dit : « Tu auras beaucoup de bons enfants. » Elle les avait entendus dire ça à la femme devant elle.

Les grilles de l'ambassade s'ouvrirent d'un coup et un homme en uniforme marron cria : « Les cinquante premiers de la queue, entrez et remplissez les formulaires. Tous les autres, revenez un autre jour. L'ambassade ne peut traiter que cinquante personnes aujourd'hui. »

« On a de la chance, hein, *abi* ? » dit l'homme derrière elle.

Elle observait l'employée qui lui faisait passer l'entretien à travers la cloison de séparation en verre, ses cheveux auburn qui effleuraient mollement les plis de son cou,

the way green eyes peered at her papers above silver frames as though the glasses were unnecessary.

"Can you go through your story again, ma'am? You haven't given me any details," the visa interviewer said with an encouraging smile. This, she knew, was her opportunity to talk about Ugonna.

She looked at the next window for a moment, at a man in a dark suit who was leaning close to the screen, reverently, as though praying to the visa interviewer behind. And she realized that she would die gladly at the hands of the man in the black hooded shirt or the one with the shiny bald head before she said a word about Ugonna to this interviewer, or to anybody at the American embassy. Before she hawked Ugonna for a visa to safety.

Her son had been killed, that was all she would say. Killed. Nothing about how his laughter started somehow above his head, high and tinkly. How he called sweets and biscuits "breadie-breadie." How he grasped her neck tight when she held him. How her husband said that he would be an artist because he didn't try to build with his LEGO blocks but instead he arranged them, side by side, alternating colors. They did not deserve to know.

"Ma'am? You say it was the government?" the visa interviewer asked.

ses yeux verts qui scrutaient ses documents par-dessus la monture argentée comme si les verres étaient superflus.

« Pouvez-vous reprendre votre histoire, madame ? Vous ne m'avez donné aucun détail », dit l'employée avec un sourire d'encouragement. C'était le moment ou jamais, elle le savait, de parler d'Ugonna.

Elle regarda un instant le guichet voisin, où un homme en costume sombre se penchait tout contre la cloison, avec déférence, comme s'il adressait une prière à la préposée aux visas qui se trouvait derrière. Et elle comprit qu'elle aimerait mille fois mieux mourir des mains de l'homme au tee-shirt noir à capuche ou de celui au crâne chauve et luisant que de dire un mot sur Ugonna à cette employée, ou à quiconque de l'ambassade américaine. Que de vendre Ugonna en échange d'un visa pour la sécurité.

Son fils s'était fait tuer, c'était tout ce qu'elle dirait. Tuer. Pas un mot sur son rire, qui semblait partir d'un point au-dessus de sa tête, aigu et cristallin. Ou sur le nom qu'il donnait aux sucreries et gâteaux secs : « des pain-pain ». Sa façon de lui agripper le cou quand elle le tenait dans ses bras. Ce qu'en disait son mari, qu'il serait artiste parce qu'il n'essayait pas de construire des choses avec ses Lego, mais préférait les disposer côte à côte, en alternant les couleurs. Ils ne méritaient pas de savoir tout cela.

« Madame ? Vous avez dit que c'était le gouvernement ? »

"Government" was such a big label, it was freeing, it gave people room to maneuver and excuse and re-blame. Three men. Three men like her husband or her brother or the man behind her on the visa line. Three men.

"Yes. They were government agents," she said.

"Can you prove it? Do you have any evidence to show that?"

"Yes. But I buried it yesterday. My son's body."

"Ma'am, I am sorry about your son," the visa interviewer said. "But I need some evidence that you know it was the government. There is fighting going on between ethnic groups, there are private assassinations. I need some evidence of the government's involvement and I need some evidence that you will be in danger if you stay on in Nigeria."

She looked at the faded pink lips, moving to show tiny teeth. Faded pink lips in a freckled, insulated face. She had the urge to ask the visa interviewer if the stories in *The New Nigeria* were worth the life of a child. But she didn't. She doubted that the visa interviewer knew about pro-democracy newspapers or about the long, tired lines outside the embassy gates in cordoned-off areas with no shade where the furious sun caused friendships and headaches and despair.

« Le gouvernement » – c'était une étiquette tellement large, qui donnait de la liberté, de l'espace pour manœuvrer, excuser, accuser quelqu'un d'autre. Trois hommes. Comme son mari, son frère, ou l'homme derrière elle dans la file d'attente. Trois hommes.

« Oui, dit-elle. C'étaient des agents du gouvernement.

— Pouvez-vous le prouver ? Avez-vous une preuve qui l'atteste ?

— Oui. Mais je l'ai enterrée hier. Le corps de mon fils.

— Madame, je suis désolée pour votre fils, dit la préposée aux visas. Mais j'ai besoin d'une preuve que vous savez que c'était le gouvernement. Il y a des combats entre groupes ethniques en ce moment, il y a des assassinats personnels. J'ai besoin d'une preuve que le gouvernement est impliqué et j'ai besoin d'une preuve que vous serez en danger si vous restez au Nigeria. »

Elle regarda les lèvres rose décoloré, qui remuaient en découvrant des dents minuscules. Des lèvres rose décoloré dans un visage parsemé de taches de rousseur, à l'abri du soleil. Elle eut brusquement envie de demander à la préposée aux visas si les articles du *New Nigeria* valaient la vie d'un enfant. Mais elle s'abstint. Elle doutait que l'employée eût connaissance des journaux pro-démocratie, ni des longues files d'attente lasses devant le portail de l'ambassade, dans des zones délimitées dépourvues d'ombre, où le soleil acharné faisait naître des amitiés, des maux de tête et du désespoir.

"Ma'am? The United States offers a new life to victims of political persecution but there needs to be proof..."

A new life. It was Ugonna who had given her a new life, surprised her by how quickly she took to the new identity he gave her, the new person he made her. "I'm Ugonna's mother," she would say at his nursery school, to teachers, to parents of other children. At his funeral in Umunnachi, because her friends and family had been wearing dresses in the same Ankara print, somebody had asked, "Which one is the mother?" and she had looked up, alert for a moment, and said, "I'm Ugonna's mother." She wanted to go back to their ancestral hometown and plant ixora flowers, the kind whose needle-thin stalks she had sucked as a child. One plant would do, his plot was so small. When it bloomed, and the flowers welcomed bees, she wanted to pluck and suck at them while squatting in the dirt. And afterwards, she wanted to arrange the sucked flowers side by side, like Ugonna had done with his LEGO blocks. That, she realized, was the new life she wanted.

At the next window, the American visa interviewer was speaking too loudly into his microphone, "I'm not going to accept your lies, sir!"

The Nigerian visa applicant in the dark suit began to shout and to gesture, waving his see-through plastic file that bulged with documents. "This is wrong!

« Madame ? Les États-Unis offrent une nouvelle vie aux victimes de persécution politique, mais il faut des preuves... »

Une nouvelle vie. C'était Ugonna qui lui avait donné une nouvelle vie, qui l'avait surprise par la rapidité avec laquelle elle adoptait la nouvelle identité qu'il lui donnait, la nouvelle personne qu'il faisait d'elle. « Je suis la mère d'Ugonna », disait-elle à l'école maternelle, aux maîtresses, aux parents des autres enfants. À ses obsèques à Umunnachi, comme ses amies et ses parentes portaient des robes toutes coupées dans le même imprimé ankara, quelqu'un avait demandé : « Laquelle est la mère ? » et elle avait levé la tête, attentive un instant, et dit : « Je suis la mère d'Ugonna. » Elle voulait retourner à leur ville ancestrale et planter des ixoras, de la variété aux tiges fines comme des aiguilles qu'elle suçait quand elle était enfant. Un pied suffirait, sa parcelle était tellement petite. Lorsqu'il fleurirait, que les fleurs accueilleraient les abeilles, elle voulait les cueillir et les sucer, accroupie dans la terre. Et après, elle voulait disposer les fleurs sucées l'une à côté de l'autre, comme Ugonna le faisait avec ses Lego. C'était cela, comprit-elle, la nouvelle vie qu'elle voulait.

Au guichet d'à côté, l'Américain préposé aux visas parlait trop fort dans son micro : « Je ne peux pas accepter vos mensonges, monsieur ! »

Le Nigérian en costume sombre qui présentait sa demande de visa se mit à crier et gesticuler en agitant son dossier de plastique transparent, plein à craquer : « C'est honteux !

How can you treat people like this? I will take this to Washington!" until a security guard came and led him away.

"Ma'am? Ma'am?"

Was she imagining it, or was the sympathy draining from the visa interviewer's face? She saw the swift way the woman pushed her reddish-gold hair back even though it did not disturb her, it stayed quiet on her neck, framing a pale face. Her future rested on that face. The face of a person who did not understand her, who probably did not cook with palm oil, or know that palm oil when fresh was a bright, bright red and when not fresh, congealed to a lumpy orange.

She turned slowly and headed for the exit.

"Ma'am?" she heard the interviewer's voice behind her.

She didn't turn. She walked out of the American embassy, past the beggars who still made their rounds with enamel bowls held outstretched, and got into her car.

Comment pouvez-vous traiter les gens de cette manière ? Je vais me plaindre à Washington ! », jusqu'à ce qu'un vigile vienne et le fasse sortir.

« Madame ? Madame ? »

C'était son imagination, ou la compassion s'effaçait-elle du visage de la préposée aux visas ? Elle vit le geste rapide de la femme qui rejetait en arrière ses cheveux couleur d'or rouge alors qu'ils ne la gênaient pas, appuyés doucement contre son cou, encadrant un visage clair. Son avenir dépendait de ce visage. Le visage d'une femme qui ne la connaissait pas, qui ne cuisinait sans doute pas à l'huile de palme, ni ne savait que l'huile de palme fraîche est d'un rouge très vif, tandis que lorsqu'elle ne l'est plus elle vire à l'orange, se fige et forme des grumeaux.

Elle tourna lentement les talons et se dirigea vers la sortie.

« Madame ? » Elle entendit la voix de la préposée aux visas derrière elle.

Elle ne se retourna pas. Elle sortit de l'ambassade américaine, passa devant les mendiants qui faisaient toujours leurs va-et-vient en tendant leurs bols émaillés, et monta dans sa voiture.

The Arrangers of Marriage
Les marieuses

My new husband carried the suitcase out of the taxi and led the way into the brownstone, up a flight of brooding stairs, down an airless hallway with frayed carpeting, and stopped at a door. The number 2B, unevenly fashioned from yellowish metal, was plastered on it.

"We're here," he said. He had used the word "house" when he told me about our home. I had imagined a smooth driveway snaking between cucumber-colored lawns, a door leading into a hallway, walls with sedate paintings. A house like those of the white newlyweds in the American films that NTA showed on Saturday nights.

He turned on the light in the living room, where a beige couch sat alone in the middle, slanted, as though dropped there by accident. The room was hot; old, musty smells hung heavy in the air.

"I'll show you around," he said.

Mon mari tout neuf a sorti la valise du taxi et il est entré le premier dans le *brownstone*, me guidant par une volée de marches maussades puis le long d'un couloir sans air, à la moquette élimée, pour s'arrêter devant une porte. Le numéro 2B, en caractères de métal jaunâtre irréguliers, y était fixé.

« On est arrivés », a-t-il dit. Il avait utilisé le mot « maison » pour me parler de notre futur foyer. Je m'étais imaginé une allée bien lisse serpentant entre des pelouses vert concombre, une porte s'ouvrant sur un vestibule, des murs ornés de tableaux paisibles. Une maison comme celles des jeunes mariés blancs dans les films américains qui passaient le samedi soir sur NTA.

Il a allumé la lumière du salon, au milieu duquel trônait un canapé beige, seul et de travers, comme tombé du ciel. Il faisait très chaud ; de vieilles odeurs de renfermé flottaient lourdement dans l'air.

« Je te fais visiter », a-t-il dit.

The smaller bedroom had a bare mattress lodged in one corner. The bigger bedroom had a bed and dresser, and a phone on the carpeted floor. Still, both rooms lacked a sense of space, as though the walls had become uncomfortable with each other, with so little between them.

"Now that you're here, we'll get more furniture. I didn't need that much when I was alone," he said.

"Okay," I said. I felt light-headed. The ten-hour flight from Lagos to New York and the interminable wait while the American customs officer raked through my suitcase had left me woozy, stuffed my head full of cotton wool. The officer had examined my foodstuffs as if they were spiders, her gloved fingers poking at the waterproof bags of ground *egusi* and dried *onugbu* leaves and *uziza* seeds, until she seized my *uziza* seeds. She feared I would grow them on American soil. It didn't matter that the seeds had been sun-dried for weeks and were as hard as a bicycle helmet.

"*Ike agwum*," I said, placing my handbag down on the bedroom floor.

"Yes, I'm exhausted, too," he said. "We should get to bed."

In the bed with sheets that felt soft, I curled up tight like Uncle Ike's fist when he is angry and hoped that no wifely duties would be required of me.

La petite chambre avait un matelas nu à même le sol dans un coin. La grande chambre avait un lit et une commode, ainsi qu'un téléphone par terre sur la moquette. Malgré cela, ni l'une ni l'autre ne donnaient une sensation d'espace, comme si les murs avaient fini par être gênés d'avoir si peu d'objets entre eux.

« Maintenant que tu es là, on va acheter d'autres meubles. Je n'avais pas besoin de grand-chose tant que j'étais seul, a-t-il dit.

— D'accord », ai-je répondu. J'étais sonnée. Les dix heures de vol de Lagos à New York et l'attente interminable pendant que la douanière passait ma valise au peigne fin m'avaient laissée sur les rotules, et la tête dans le coton. La douanière avait examiné mes aliments comme si c'étaient des araignées. Elle avait enfoncé ses doigts gantés dans les sacs étanches d'*egusi* pilé, de feuilles d'*onugbu* séchées et de graines d'*uziza*, et fini par confisquer mes graines d'*uziza*. Elle avait peur que je les fasse pousser dans le sol américain. Peu importe si les graines avaient séché des semaines au soleil, si elles étaient dures comme un casque de vélo.

« *Ike agwum*, ai-je dit en posant mon sac à main par terre dans la chambre.

— Oui, moi aussi je suis épuisé, a-t-il dit. On devrait se coucher. »

Dans le lit les draps étaient doux et je me suis roulée en boule, contractée comme le poing d'oncle Ike quand il est en colère, en espérant qu'aucun devoir conjugal n'était attendu de moi.

I relaxed moments later when I heard my new husband's measured snoring. It started like a deep rumble in his throat, then ended on a high pitch, a sound like a lewd whistle. They did not warn you about things like this when they arranged your marriage. No mention of offensive snoring, no mention of houses that turned out to be furniture-challenged flats.

My husband woke me up by settling his heavy body on top of mine. His chest flattened my breasts.

"Good morning," I said, opening sleep-crusted eyes. He grunted, a sound that might have been a response to my greeting or part of the ritual he was performing. He raised himself to pull my nightdress up above my waist.

"Wait—" I said, so that I could take the nightdress off, so it would not seem so hasty. But he had crushed his mouth down on mine. Another thing the arrangers of marriage failed to mention—mouths that told the story of sleep, that felt clammy like old chewing gum, that smelled like the rubbish dumps at Ogbete Market. His breathing rasped as he moved, as if his nostrils were too narrow for the air that had to be let out. When he finally stopped thrusting, he rested his entire weight on me, even the weight of his legs. I did not move until he climbed off me to go into the bathroom. I pulled my nightdress down, straightened it over my hips.

Quelques instants plus tard, je me suis détendue en entendant les ronflements cadencés de mon mari tout neuf. Cela commençait par un grondement de gorge grave pour finir sur une note aiguë, pareille à un sifflement obscène. On ne vous prévenait pas de ce genre de choses, quand on arrangeait votre mariage. Pas un mot sur les ronflements désagréables, pas un mot sur les maisons qui s'avèrent des appartements handicapés de l'ameublement.

Mon mari m'a réveillée en étalant son corps lourd sur le mien. Sa poitrine m'a écrasé les seins.

« Bonjour », ai-je dit, les yeux encore collés par le sommeil. Il a grogné, bruit qui pouvait être une réponse à mon bonjour, ou faire partie du rituel auquel il se livrait. Il s'est soulevé pour retrousser ma chemise de nuit au-dessus de ma taille.

J'ai dit « Attends... », pour pouvoir enlever ma chemise de nuit, pour que ça ne paraisse pas aussi précipité. Mais il avait plaqué sa bouche sur la mienne – voilà autre chose que les marieuses omettent d'évoquer : les bouches qui racontent l'histoire du sommeil, qui collent comme du vieux chewing-gum, qui ont l'odeur des tas d'ordures du marché d'Ogbete. Son souffle s'éraillait quand il bougeait, comme s'il avait les narines trop étroites pour le volume d'air à évacuer. Lorsqu'il a enfin cessé ses coups de boutoir, il s'est reposé de tout son poids sur moi, même ses jambes. Je suis restée sans bouger jusqu'à ce qu'il descende d'au-dessus de moi pour aller à la salle de bains. J'ai tiré sur ma chemise de nuit, l'ai rabattue sur mes hanches.

"Good morning, baby," he said, coming back into the room. He handed me the phone. "We have to call your uncle and aunt to tell them we arrived safely. Just for a few minutes; it costs almost a dollar a minute to Nigeria. Dial 011 and then 234 before the number."

"*Ezi okwu?* All that?"

"Yes. International dialing code first and then Nigeria's country code."

"Oh," I said. I punched in the fourteen numbers. The stickiness between my legs itched.

The phone line crackled with static, reaching out across the Atlantic. I knew Uncle Ike and Aunty Ada would sound warm, they would ask what I had eaten, what the weather in America was like. But none of my responses would register; they would ask just to ask. Uncle Ike would probably smile into the phone, the same kind of smile that had loosened his face when he told me that the perfect husband had been found for me. The same smile I had last seen on him months before when the Super Eagles won the soccer gold medal at the Atlanta Olympics.

"A doctor in America," he had said, beaming. "What could be better? Ofodile's mother was looking for a wife for him, she was very concerned that he would marry an American. He hadn't been home in eleven years. I gave her a photo of you. I did not hear from her for a while and I thought they had found someone. But..." Uncle Ike let his voice trail away, let his beaming get wider.

« Bonjour, baby », m'a-t-il dit en revenant dans la chambre. Il m'a tendu le téléphone. « Il faut qu'on appelle ton oncle et ta tante pour leur dire qu'on est bien arrivés. Juste quelques minutes ; c'est presque un dollar la minute pour le Nigeria. Tu composes d'abord le 011, puis 234, puis le numéro.

— *Ezi okwu* ? Tout ça ?

— Oui. Le code pour l'international d'abord, et puis le code national du Nigeria.

— Ah. » J'ai composé les quatorze chiffres. Le poisseux, entre mes jambes, me démangeait.

Les parasites ont crépité sur la ligne téléphonique, s'étirant vers l'autre côté de l'Atlantique. Je savais qu'oncle Ike et tantie Ada parleraient d'une voix chaleureuse, qu'ils me demanderaient ce que j'avais mangé, quel temps il faisait en Amérique. Mais aucune de mes réponses ne serait écoutée ; ils demanderaient pour demander, c'était tout. Oncle Ike sourirait sans doute au téléphone, de ce même sourire qui lui avait détendu le visage lorsqu'il m'avait annoncé qu'on m'avait trouvé le mari idéal. De ce sourire que je lui avais vu il y a plusieurs mois, quand les Super Eagles avaient gagné la médaille d'or de football aux Jeux olympiques d'Atlanta.

« Un docteur en Amérique, avait-il dit, rayonnant. Qui dit mieux ? La mère d'Ofodile lui cherchait une femme, elle avait très peur qu'il épouse une Américaine. Il n'est pas rentré au pays depuis onze ans. Je lui ai donné une photo de toi. Elle est restée un bon moment sans faire signe et j'ai cru qu'ils avaient trouvé quelqu'un d'autre. Mais... » Oncle Ike avait laissé sa phrase en suspens, laissé son sourire s'épanouir.

"Yes, Uncle."

"He will be home in early June," Aunty Ada had said. "You will have plenty of time to get to know each other before the wedding."

"Yes, Aunty." "Plenty of time" was two weeks.

"What have we not done for you? We raise you as our own and then we find you an *ezigbo di*! A doctor in America! It is like we won a lottery for you!" Aunty Ada said. She had a few strands of hair growing on her chin and she tugged at one of them as she spoke.

I had thanked them both for everything—finding me a husband, taking me into their home, buying me a new pair of shoes every two years. It was the only way to avoid being called ungrateful. I did not remind them that I wanted to take the JAMB exam again and try for the university, that while going to secondary school I had sold more bread in Aunty Ada's bakery than all the other bakeries in Enugu sold, that the furniture and floors in the house shone, because of me.

"Did you get through?" my new husband asked.

"It's engaged," I said. I looked away so that he would not see the relief on my face.

"Busy. Americans say busy, not engaged," he said. "We'll try later. Let's have breakfast."

« Oui, oncle.

— Il sera au pays début juin, avait ajouté tantie Ada. Vous aurez tout le temps de faire connaissance avant le mariage.

— Oui, tantie. » Tout le temps, c'était quinze jours.

« Qu'est-ce que nous n'avons pas fait pour toi ? Nous t'élevons comme notre propre enfant et ensuite nous te trouvons un *ezigbo di* ! Un docteur en Amérique ! C'est comme si on t'avait décroché le gros lot ! » dit tantie Ada. Elle avait quelques poils au menton et tirait sur l'un d'eux en parlant.

Je les avais remerciés tous les deux pour tout – m'avoir trouvé un mari, m'avoir prise chez eux, acheté une paire de chaussures neuves un an sur deux. C'était la seule façon de ne pas me faire traiter d'ingrate. Je ne leur ai pas rappelé que j'aurais voulu repasser l'examen du JAMB et me présenter à l'université, que pendant mes années de secondaire, j'avais vendu plus de pain à la boulangerie de tantie Ada que toutes les autres boulangeries d'Enugu, que les meubles et les sols de la maison brillaient grâce à moi.

« Tu as eu la communication ? a demandé mon mari tout neuf.

— C'est occupé », ai-je dit, en tournant la tête pour qu'il ne voie pas à mon expression que j'étais soulagée. J'avais employé le mot « engaged » pour « occupé ».

« Les Américains disent “busy”, pas “engaged”, a-t-il dit. On réessayera plus tard. Allons prendre le petit déjeuner. »

For breakfast, he defrosted pancakes from a bright-yellow bag. I watched what buttons he pressed on the white microwave, carefully memorizing them.

"Boil some water for tea," he said

"Is there some dried milk?" I asked, taking the kettle to the sink. Rust clung to the sides of the sink like peeling brown paint.

"Americans don't drink their tea with milk and sugar."

"*Ezi okwu?* Don't you drink yours with milk and sugar?"

"No, I got used to the way things are done here a long time ago. You will too, baby."

I sat before my limp pancakes—they were so much thinner than the chewy slabs I made at home—and bland tea that I feared would not get past my throat. The doorbell rang and he got up. He walked with his hands swinging to his back; I had not really noticed that before, I had not had time to notice.

"I heard you come in last night." The voice at the door was American, the words flowed fast, ran into each other. *Supri-supri*, Aunty Ify called it, fast-fast. "When you come back to visit, you will be speaking *supri-supri* like Americans," she had said.

"Hi, Shirley. Thanks so much for keeping my mail," he said.

Pour le petit déjeuner, il a décongelé des pancakes tirés d'un sac jaune vif. J'ai regardé attentivement les boutons qu'il enfonçait sur le micro-ondes blanc, pour bien retenir.

« Fais chauffer de l'eau pour le thé, a-t-il dit.

— Est-ce qu'il y a du lait en poudre ? » ai-je demandé, tout en portant la bouilloire à l'évier. La rouille s'accrochait aux parois de l'évier comme des lambeaux de peinture marron qui s'écaille.

« Les Américains ne mettent pas de lait ni de sucre dans leur thé.

— *Ezi okwu ?* Tu ne bois pas le tien avec du lait et du sucre ?

— Non, je me suis fait aux habitudes d'ici depuis longtemps. Toi aussi, baby, tu t'y feras. »

Je me suis assise devant mes pancakes mous – tellement plus minces que les grosses galettes fermes sous la dent que je confectionnais à la maison – et un thé fade que je craignais de ne pouvoir avaler. On a sonné à la porte et il s'est levé. Il marchait en envoyant les mains dans le dos ; je ne l'avais pas vraiment remarqué avant, je n'avais pas eu le temps de le remarquer.

« Je t'ai entendu rentrer hier soir. » La voix à la porte était américaine, les mots se déversaient rapidement, rentraient les uns dans les autres. *Supri-supri,* disait tantie Ify, vite-vite. « Quand tu reviendras rendre visite, tu parleras *supri-supri* comme Américains », avait-elle dit.

« Salut, Shirley. Merci beaucoup pour mon courrier, a-t-il dit.

"Not a problem at all. How did your wedding go? Is your wife here?"

"Yes, come and say hello."

A woman with hair the color of metal came into the living room. Her body was wrapped in a pink robe knotted at the waist. Judging from the lines that ran across her face, she could have been anything from six decades to eight decades old; I had not seen enough white people to correctly gauge their ages.

"I'm Shirley from 3A. Nice to meet you," she said, shaking my hand. She had the nasal voice of someone battling a cold.

"You are welcome," I said.

Shirley paused, as though surprised. "Well, I'll let you get back to breakfast," she said. "I'll come down and visit with you when you've settled in."

Shirley shuffled out. My new husband shut the door. One of the dining table legs was shorter than the rest, and so the table rocked, like a seesaw, when he leaned on it and said, "You should say 'Hi' to people here, not 'You're welcome.'"

"She's not my age mate."

"It doesn't work that way here. Everybody says hi."

"*O di mma.* Okay."

"I'm not called Ofodile here, by the way. I go by Dave," he said, looking down at the pile of envelopes Shirley had given him.

— Pas de problème. Comment s'est passé ton mariage ? Est-ce que ta femme est là ?

— Oui, viens dire bonjour. »

Une femme aux cheveux métalliques est entrée dans le salon. Elle était enveloppée d'un peignoir rose noué à la taille. À en juger par les rides qui sillonnaient son visage, elle pouvait avoir n'importe quel âge entre soixante et quatre-vingts ans ; je n'avais pas vu assez de Blancs pour arriver à évaluer leur âge correctement.

« Je suis Shirley, du 3A. Enchantée », a-t-elle dit en me serrant la main. Elle avait la voix nasale de quelqu'un qui combat un rhume.

« Je vous en prie », ai-je répondu.

Shirley a marqué une pause, comme si elle était surprise. « Bon, je vous laisse à votre petit déjeuner, a-t-elle dit alors. Je descendrai vous voir quand vous vous serez installés. »

Elle est sortie en traînant les pieds. Mon mari tout neuf a fermé la porte. La table était bancale, de sorte qu'elle a penché comme une balançoire à bascule quand il s'est appuyé dessus et m'a dit : « Tu dois dire "Salut" aux gens, ici, pas "Je vous en prie".

— On n'a pas le même âge.

— Ça ne marche pas comme ça ici. Tout le monde dit "Salut".

— *O di mma.* O.K.

— Je ne m'appelle pas Ofodile ici, à propos. Je me fais appeler Dave », a-t-il ajouté, tout en regardant la pile d'enveloppes que lui avait données Shirley.

Many of them had lines of writing on the envelope itself, above the address, as though the sender had remembered to add something only after the envelope was sealed.

"Dave?" I knew he didn't have an English name. The invitation cards to our wedding had read *Ofodile Emeka Udenwa and Chinaza Agatha Okafor.*

"The last name I use here is different, too. Americans have a hard time with Udenwa, so I changed it."

"What is it?" I was still trying to get used to Udenwa, a name I had known only a few weeks.

"It's Bell."

"Bell!" I had heard about a Waturuocha that changed to Waturu in America, a Chikelugo that took the more American-friendly Chikel, but from Udenwa to Bell? "That's not even close to Udenwa," I said.

He got up. "You don't understand how it works in this country. If you want to get anywhere you have to be as mainstream as possible. If not, you will be left by the roadside. You have to use your English name here."

"I never have, my English name is just something on my birth certificate. I've been Chinaza Okafor my whole life."

"You'll get used to it, baby," he said, reaching out to caress my cheek. "You'll see."

Sur beaucoup d'entre elles, il y avait des lignes écrites sur l'enveloppe elle-même, au-dessus de l'adresse, comme si l'expéditeur s'était rappelé quelque chose après avoir scellé l'enveloppe.

« Dave ? » Je savais qu'il n'avait pas de prénom anglais. Les cartons d'invitation à notre mariage disaient *Ofodile Emeka Udenwa et Chinaza Agatha Okafor*.

« J'utilise un nom de famille différent, aussi. Les Américains ont du mal avec Udenwa, alors je l'ai changé.

— En quoi ? » J'en étais encore à tenter de m'habituer à Udenwa, nom que je ne connaissais que depuis quelques semaines.

« En Bell.

— Bell ! » J'avais entendu parler d'un Waturuocha qui avait changé son nom en Waturu en Amérique, d'un Chikelugo qui avait opté pour Chikel, plus facile pour des Américains, mais passer d'Udenwa à Bell ? « Ça n'a aucun rapport avec Udenwa », ai-je dit.

Il s'est levé. « Tu ne comprends pas comment ça marche dans ce pays. Si tu veux arriver à quoi que ce soit, tu dois te fondre dans la masse au maximum. Sinon, tu restes sur le carreau. Il faut que tu te serves de ton nom anglais ici.

— Je ne l'ai jamais fait, mon nom anglais est juste un truc sur mon certificat de naissance. Je me suis toujours appelée Chinaza Okafor.

— Tu t'y feras, baby, a-t-il dit en tendant la main pour me caresser la joue. Tu verras. »

When he filled out a Social Security number application for me the next day, the name he entered in bold letters was AGATHA BELL.

Our neighborhood was called Flatbush, my new husband told me, as we walked, hot and sweaty, down a noisy street that smelled of fish left out too long before refrigeration. He wanted to show me how to do the grocery shopping and how to use the bus.

"Look around, don't lower your eyes like that. Look around. You get used to things faster that way," he said.

I turned my head from side to side so he would see that I was following his advice. Dark restaurant windows promised the BEST CARIBBEAN AND AMERICAN FOOD in lopsided print, a car wash across the street advertised $3.50 washes on a chalkboard nestled among Coke cans and bits of paper. The sidewalk was chipped away at the edges, like something nibbled at by mice.

Inside the air-conditioned bus, he showed me where to pour in the coins, how to press the tape on the wall to signal my stop.

"This is not like Nigeria, where you shout out to the conductor," he said, sneering, as though he was the one who had invented the superior American system.

Inside Key Food, we walked from aisle to aisle slowly.

Le lendemain, lorsqu'il a rempli une demande de numéro de sécurité sociale pour moi, le nom qu'il a inscrit en caractères gras était AGATHA BELL.

Notre quartier s'appelait Flatbush, m'a expliqué mon mari tout neuf pendant que nous descendions, en sueur et en pleine chaleur, une rue bruyante qui sentait le poisson resté trop longtemps dehors avant le frigo. Il voulait me montrer comment faire les courses et prendre le bus.

« Regarde autour de toi, ne baisse pas les yeux comme ça. Regarde autour de toi, comme ça tu t'habitueras plus vite », dit-il.

Je me suis mise à tourner la tête d'un côté et de l'autre pour lui montrer que je suivais ses conseils. Une vitrine de restaurant obscure promettait LA MEILLEURE CUISINE DES CARAÏBES ET D'AMÉRIQUE en lettres de guingois ; de l'autre côté de la rue, un portique annonçait des lavages de voiture à 3,50 $ sur un tableau noir niché entre des boîtes de Coca et des bouts de papier. Le bord du trottoir était ébréché, comme grignoté par des souris.

À l'intérieur de l'autobus climatisé, il m'a montré où mettre les pièces de monnaie, et comment appuyer sur le ruban contre la paroi pour demander l'arrêt.

« C'est pas comme au Nigeria, où tu préviens le receveur en criant », a-t-il dit, l'air dédaigneux comme si c'était lui qui avait inventé ce système américain si remarquable.

Au Key Food, nous avons parcouru les allées lentement.

I was wary when he put a beef pack in the cart. I wished I could touch the meat, to examine its redness, as I often did at Ogbete Market, where the butcher held up fresh-cut slabs buzzing with flies.

"Can we buy those biscuits?" I asked. The blue packets of Burton's Rich Tea were familiar; I did not want to eat biscuits but I wanted something familiar in the cart.

"Cookies. Americans call them cookies," he said.

I reached out for the biscuits (cookies).

"Get the store brand. They're cheaper, but still the same thing," he said, pointing at a white packet.

"Okay," I said. I no longer wanted the biscuits, but I put the store brand in the cart and stared at the blue packet on the shelf, at the familiar grain-embossed Burton's logo, until we left the aisle.

"When I become an Attending, we will stop buying store brands, but for now we have to; these things may seem cheap but they add up," he said.

"When you become a Consultant?"

"Yes, but it's called an Attending here, an Attending Physician."

The arrangers of marriage only told you that doctors made a lot of money in America.

Quand je l'ai vu mettre un paquet de bœuf dans le caddie, ça ne m'a pas inspiré confiance. J'aurais voulu pouvoir toucher la viande, vérifier qu'elle était bien rouge, comme je le faisais souvent au marché d'Ogbete, où le boucher exhibait des morceaux fraîchement découpés en soulevant des nuages de mouches.

« Est-ce qu'on peut acheter ces biscuits ? » Les paquets bleus de Burton's Rich Tea m'étaient familiers ; je n'avais pas envie de manger des biscuits, juste de voir quelque chose de familier dans le caddie.

« Ces *cookies*. Les Américains disent *cookies*. »

J'ai tendu la main vers les biscuits (les cookies).

« Prends les génériques. Ils sont moins chers et c'est la même chose, a-t-il dit en montrant un paquet blanc du doigt.

— D'accord. » Je n'avais plus envie des biscuits, mais j'ai mis le paquet générique dans le caddie et j'ai fixé des yeux le paquet bleu sur l'étagère, avec le logo de grains en relief si familier de Burton, jusqu'au moment où on a quitté l'allée.

« Lorsque je serai médecin traitant, on arrêtera d'acheter des génériques, mais pour le moment on est obligés ; ça n'a pas l'air cher, tous ces trucs, mais ça finit par chiffrer.

— Quand tu seras médecin d'hôpital ?

— Oui, mais ça s'appelle "médecin traitant", ici. Médecin traitant à l'hôpital. »

Tout ce que vous disaient les marieuses, c'était que les docteurs gagnaient beaucoup d'argent en Amérique.

They did not add that before doctors started to make a lot of money, they had to do an internship and a residency program, which my new husband had not completed. My new husband had told me this during our short in-flight conversation, right after we took off from Lagos, before he fell asleep.

"Interns are paid twenty-eight thousand a year but work about eighty hours a week. It's like three dollars an hour," he had said. "Can you believe it? Three dollars an hour!"

I did not know if three dollars an hour was very good or very bad—I was leaning toward very good—until he added that even high school students working part-time made much more.

"Also when I become an Attending, we will not live in a neighborhood like this," my new husband said. He stopped to let a woman with her child tucked into her shopping cart pass by. "See how they have bars so you can't take the shopping carts out? In the good neighborhoods, they don't have them. You can take your shopping cart all the way to your car."

"Oh," I said. What did it matter that you could or could not take the carts out? The point was, there *were* carts.

"Look at the people who shop here; they are the ones who immigrate and continue to act as if they are back in their countries." He gestured, dismissively, toward a woman and her two children, who were speaking Spanish.

Elles n'ajoutaient pas qu'avant de gagner beaucoup d'argent, les docteurs devaient faire un internat et un résidanat, que mon mari tout neuf n'avait pas terminés. Mon mari tout neuf me l'avait expliqué pendant notre brève conversation à bord, juste après le décollage de Lagos, avant de s'endormir.

« Les internes sont payés vingt-huit mille dollars par an mais ils font environ quatre-vingts heures par semaine. Ça fait du trois dollars de l'heure, avait-il dit. Tu te rends compte ? Trois dollars de l'heure ! »

Je ne savais pas si trois dollars de l'heure, c'était très bien ou très peu – j'ai opté pour très bien, jusqu'à ce qu'il ajoute que même les lycéens qui travaillaient à temps partiel gagnaient beaucoup plus.

« Et aussi, quand je serai médecin traitant, on n'habitera pas dans un quartier comme ça », a dit mon mari tout neuf. Il s'est arrêté pour laisser passer une femme qui avait perché son gamin sur son caddie. « Tu vois les barreaux qu'ils mettent pour empêcher qu'on sorte les caddies dans la rue ? Dans les bons quartiers, il n'y en a pas. Tu peux emporter ton caddie jusqu'à ta voiture.

— Ah », ai-je fait. Quelle importance, qu'on puisse sortir les caddies ou non ? Ce qui comptait, c'était qu'il *y avait* des caddies.

« Regarde les gens qui font leurs courses ici, ce sont ces gens-là qui immigrent et continuent de vivre comme s'ils étaient encore dans leur pays. » Il a eu un geste dédaigneux pour une femme et ses deux enfants, qui parlaient en espagnol.

"They will never move forward unless they adapt to America. They will always be doomed to supermarkets like this."

I murmured something to show I was listening. I thought about the open market in Enugu, the traders who sweet-talked you into stopping at their zinc-covered sheds, who were prepared to bargain all day to add one single kobo to the price. They wrapped what you bought in plastic bags when they had them, and when they did not have them, they laughed and offered you worn newspapers.

My new husband took me to the mall; he wanted to show me as much as he could before he started work on Monday. His car rattled as he drove, as though there were many parts that had come loose—a sound similar to shaking a tin full of nails. It stalled at a traffic light and he turned the key a few times before it started.

"I'll buy a new car after my residency," he said.

Inside the mall, the floors gleamed, smooth as ice cubes, and the high-as-the-sky ceiling blinked with tiny ethereal lights. I felt as though I were in a different physical world, on another planet. The people who pushed against us, even the black ones, wore the mark of foreignness, otherness, on their faces.

« Ils n'avanceront jamais, s'ils ne s'adaptent pas à l'Amérique. Ils seront éternellement condamnés à ce genre de supermarché. »

J'ai murmuré quelques mots pour montrer que j'écoutais. J'ai repensé au marché de plein air d'Enugu, avec ses commerçants qui baratinaient le chaland pour le convaincre de s'arrêter à leurs échoppes couvertes de zinc, qui étaient prêts à marchander toute la journée pour augmenter le prix d'un seul kobo. Ils vous emballaient vos achats dans des sacs plastique quand ils en avaient, et sinon, ils vous offraient de vieux journaux en riant.

Mon mari tout neuf m'a conduite au centre commercial ; il voulait me montrer le maximum de choses avant de reprendre son travail le lundi. Sa voiture tintinnabulait en roulant, comme si de nombreuses pièces étaient desserrées – un bruit de boîte de clous qu'on secoue. Elle a calé à un feu rouge et il a dû tourner la clé plusieurs fois pour redémarrer.

« J'achèterai une nouvelle voiture après mon résidanat », a-t-il dit.

À l'intérieur du centre commercial, les sols reluisaient, lisses comme des glaçons, et le plafond haut comme le ciel clignotait d'une myriade de lumières frêles et minuscules. J'avais l'impression d'être dans un autre univers physique, sur une autre planète. Les gens qui nous bousculaient, même les Noirs, portaient sur le visage la marque de la différence, de l'altérité.

"We'll get pizza first," he said. "It's one thing you have to like in America."

We walked up to the pizza stand, to the man wearing a nose ring and a tall white hat.

"Two pepperoni and sausage. Is your combo deal better?" my new husband asked. He sounded different when he spoke to Americans: his *r* was overpronounced and his *t* was under-pronounced. And he smiled, the eager smile of a person who wanted to be liked.

We ate the pizza sitting at a small round table in what he called a "food court." A sea of people sitting around circular tables, hunched over paper plates of greasy food. Uncle Ike would be horrified at the thought of eating here; he was a titled man and did not even eat at weddings unless he was served in a private room. There was something humiliatingly public, something lacking in dignity, about this place, this open space of too many tables and too much food.

"Do you like the pizza?" my new husband asked. His paper plate was empty.

"The tomatoes are not cooked well."

"We overcook food back home and that is why we lose all the nutrients. Americans cook things right. See how healthy they all look?"

I nodded, looking around. At the next table,

« On va prendre une pizza d'abord, a-t-il dit. C'est vraiment une chose qu'il faut aimer, en Amérique. »

Nous sommes allés au stand de pizzas, tenu par un homme qui avait un anneau dans le nez et un haut chapeau blanc.

« Deux pepperoni et saucisse. C'est plus intéressant si on prend la formule ? » a demandé mon mari tout neuf. Il parlait différemment quand il s'adressait à des Américains : ses *r* étaient exagérés et ses *t* trop atténués. Et il souriait, du sourire enthousiaste de la personne qui veut plaire.

Nous avons mangé la pizza à une petite table ronde dans ce qu'il appelait « l'aire de restauration ». Un océan de gens assis à des tables rondes, penchés sur des assiettes en carton pleines d'aliments gras. Oncle Ike aurait été horrifié à l'idée de manger là ; il avait un titre et ne mangeait même pas aux mariages, à moins d'être servi dans une pièce privée. Il y avait quelque chose d'humiliant dans cet endroit, ce vaste espace où trop de tables et de nourriture s'étalaient en public, ça manquait de dignité.

« Elle te plaît, la pizza ? » m'a demandé mon mari tout neuf. Son assiette en carton était vide.

« Les tomates ne sont pas bien cuites.

— Nous faisons trop cuire les aliments au pays et c'est pour ça que nous perdons tous les nutriments. Les Américains font cuire comme il faut. Tu vois comme ils ont tous l'air en bonne santé ? »

J'ai hoché la tête et regardé autour de moi. À la table d'à côté,

a black woman with a body as wide as a pillow held sideways smiled at me. I smiled back and took another pizza bite, tightening my stomach so it would not eject anything.

We went into Macy's afterwards. My new husband led the way toward a sliding staircase; its movement was rubbery-smooth and I knew I would fall down the moment I stepped on it.

"*Biko*, don't they have a lift instead?" I asked. At least I had once ridden in the creaky one in the local government office, the one that quivered for a full minute before the doors rolled open.

"Speak English. There are people behind you," he whispered, pulling me away, toward a glass counter full of twinkling jewelry. "It's an elevator, not a lift. Americans say elevator."

"Okay."

He led me to the lift (elevator) and we went up to a section lined with rows of weighty-looking coats. He bought me a coat the color of a gloomy day's sky, puffy with what felt like foam inside its lining. The coat looked big enough for two of me to snugly fit into it.

"Winter is coming," he said. "It is like being inside a freezer, so you need a warm coat."

"Thank you."

"Always best to shop when there is a sale.

une Noire au corps aussi large qu'un oreiller placé de côté m'a souri. Je lui ai rendu son sourire et j'ai pris une autre bouchée de pizza, en contractant le ventre pour ne pas rendre.

Après, nous sommes allés chez Macy's. Mon mari tout neuf m'a emmenée vers un escalier roulant ; ce dernier avait un mouvement élastique et souple et j'ai tout de suite vu que je tomberais dès que j'y mettrais les pieds.

« *Biko*, il n'y a pas un ascenseur, à la place ? » ai-je demandé. Au moins avais-je déjà pris une fois l'ascenseur grinçant du bureau de l'administration locale, celui qui tremblait une minute entière avant que les portes s'ouvrent.

« Parle anglais, il y a des gens derrière nous, a-t-il chuchoté en m'entraînant à l'écart, vers une vitrine de bijoux étincelants. Ascenseur, ça se dit "elevator" en Amérique, pas "lift".

— D'accord. »

Il m'a emmenée à l'ascenseur – « elevator », pas « lift » – et nous sommes allés à un rayon où s'alignaient des rangées de gros manteaux lourds. Il m'en a acheté un terne comme un jour sans soleil, à la doublure rembourrée de mousse, m'a-t-il semblé au toucher. Le manteau m'a paru assez grand pour en loger confortablement deux comme moi.

« L'hiver approche, a-t-il dit. C'est comme si tu étais dans un congélo, alors il te faut un manteau chaud.

— Merci.

— Ça vaut toujours mieux de faire ses achats pendant les soldes.

Sometimes you get the same thing for less than half the price. It's one of the wonders of America."

"*Ezi okwu?*" I said, then hastily added, "Really?"

"Let's take a walk around the mall. There are some other wonders of America here."

We walked, looking at stores that sold clothes and tools and plates and books and phones, until the bottoms of my feet ached.

Before we left, he led the way to McDonald's. The restaurant was nestled near the rear of the mall; a yellow and red M the size of a car stood at its entrance. My husband did not look at the menu board that hovered overhead as he ordered two large Number 2 meals.

"We could go home so I can cook," I said. "Don't let your husband eat out too much," Aunty Ada had said, "or it will push him into the arms of a woman who cooks. Always guard your husband like a guinea fowl's egg."

"I like to eat this once in a while," he said. He held the hamburger with both hands and chewed with a concentration that furrowed his eyebrows, tightened his jaw, and made him look even more unfamiliar.

I made coconut rice on Monday, to make up for the eating out.

Quelquefois, tu trouves des choses à moins que moitié prix. Ça fait partie des merveilles de l'Amérique.

— *Ezi okwu ?* ai-je dit, m'empressant d'ajouter : Vraiment ?

— Viens, on va se promener dans le centre commercial. Il y a quelques-unes des autres merveilles de l'Amérique ici. »

On a marché, et fait des magasins qui vendaient des vêtements, des outils, de la vaisselle, des livres et des téléphones, jusqu'à ce que j'en aie mal à la plante des pieds.

Avant de partir, il m'a emmenée au McDonald's. Le restaurant était niché dans le fond de la galerie ; un M jaune et rouge de la taille d'une voiture se dressait à l'entrée. Sans regarder le menu qui était suspendu, mon mari a commandé deux Double Cheese.

« On pourrait rentrer à la maison, je pourrais cuisiner », ai-je dit. Tantie Ada m'avait mise en garde : « Ne laisse pas ton mari manger dehors trop souvent, sinon ça le poussera dans les bras d'une femme qui cuisine. Surveille toujours ton mari comme un œuf de pintade. »

« J'aime bien manger ça une fois de temps en temps », a-t-il dit. Il tenait le hamburger à deux mains et mastiquait avec une concentration qui lui faisait froncer les sourcils et crisper la mâchoire, ce qui lui donnait encore plus l'air d'un inconnu.

Le lundi j'ai préparé un riz coco, pour contrebalancer les repas pris dehors.

I wanted to make pepper soup, too, the kind Aunty Ada said softened a man's heart. But I needed the *uziza* that the customs officer had seized; pepper soup was just not pepper soup without it. I bought a coconut in the Jamaican store down the street and spent an hour cutting it into tiny bits because there was no grater, and then soaked it in hot water to extract the juice. I had just finished cooking when he came home. He wore what looked like a uniform, a girlish-looking blue top tucked into a pair of blue trousers that was tied at the waist.

"*Nno*," I said. "Did you work well?"

"You have to speak English at home, too, baby. So you can get used to it." He brushed his lips against my cheek just as the doorbell rang. It was Shirley, her body wrapped in the same pink robe. She twirled the belt at her waist.

"That smell," she said, in her phlegm-filled voice. "It's everywhere, all over the building. What are you cooking?"

"Coconut rice," I said.

"A recipe from your country?"

"Yes."

"It smells really good. The problem with us here is we have no culture, no culture at all." She turned to my new husband, as if she wanted him to agree with her, but he simply smiled. "Would you come take a look at my air conditioner, Dave?" She asked. "It's acting up again and it's so hot today."

J'aurais voulu faire du pépé-soupe, aussi, de celui qui, d'après tantie Ada, attendrit le cœur des hommes. Mais il m'aurait fallu les graines d'*uziza* que la douanière avait confisquées ; pas de pépé-soupe digne de ce nom sans *uziza*. J'ai acheté une noix de coco chez le Jamaïcain du bout de la rue et j'ai passé une heure à la découper en tout petits morceaux, parce qu'il n'y avait pas de râpe, ensuite je l'ai fait tremper dans de l'eau chaude pour en extraire le jus. Je venais de finir de cuisiner quand il est rentré. Il portait une sorte d'uniforme, un haut bleu qui avait l'air d'une blouse de fille, rentré dans un pantalon bleu noué à la taille.

« *Nno*, ai-je dit. Tu as bien travaillé ?

— Il faut que tu parles anglais à la maison aussi, baby. Pour t'habituer. » Il m'a effleuré la joue du bout des lèvres, et à ce moment-là on a sonné à la porte. C'était Shirley, enveloppée du même peignoir rose.

« Cette odeur, a-t-elle dit de sa voix enrhumée. Ça embaume dans tout l'immeuble. Qu'est-ce que vous cuisinez ?

— Du riz coco, ai-je répondu.

— Une recette de votre pays ?

— Oui.

— Ça sent vraiment bon. Notre problème, ici, c'est que nous n'avons pas de culture, pas de culture du tout. » Elle s'est tournée vers mon mari tout neuf, comme si elle cherchait son accord, mais il s'est contenté de sourire. « Tu peux venir jeter un coup d'œil à mon climatiseur, Dave ? a-t-elle ajouté. Il me joue encore des tours et il fait tellement chaud, aujourd'hui.

"Sure," my new husband said.

Before they left, Shirley waved at me and said, "Smells *really* good," and I wanted to invite her to have some rice. My new husband came back half an hour later and ate the fragrant meal I placed before him, even smacking his lips like Uncle Ike sometimes did to show Aunty Ada how pleased he was with her cooking. But the next day, he came back with a *Good Housekeeping All-American Cookbook*, thick as a Bible.

"I don't want us to be known as the people who fill the building with smells of foreign food," he said.

I took the cookbook, ran my hand over the cover, over the picture of something that looked like a flower but was probably food.

"I know you'll soon master how to cook American food," he said, gently pulling me close. That night, I thought of the cookbook as he lay heavily on top of me, grunting and rasping. Another thing the arrangers of marriage did not tell you—the struggle to brown beef in oil and dredge skinless chicken in flour. I had always cooked beef in its own juices. Chicken I had always poached with its skin intact.

— Bien sûr », a dit mon mari tout neuf.

Au moment où ils partaient, Shirley m'a fait signe de la main en disant : « Ça sent *vraiment* bon », et j'ai eu envie de l'inviter à prendre un peu de riz. Mon mari tout neuf est revenu une demi-heure plus tard et il a mangé le plat parfumé que j'ai déposé devant lui, en faisant même claquer ses lèvres, comme le faisait parfois oncle Ike pour montrer à tantie Ada combien il appréciait sa cuisine. Mais le lendemain, il est revenu avec un exemplaire de *Good Housekeeping – The All-American Cookbook*, gros comme une Bible.

« Je ne veux pas qu'on soit connus comme les voisins qui remplissent l'immeuble d'odeurs de cuisine étrangère », m'a-t-il dit.

J'ai pris le manuel de la parfaite ménagère américaine et passé la main sur la couverture, sur une image qui ressemblait à une fleur mais qui devait être un plat.

« Je sais que la cuisine américaine n'aura bientôt plus de secrets pour toi », a-t-il ajouté en m'attirant doucement contre lui. Cette nuit-là, j'ai pensé au livre de cuisine pendant qu'il grognait et ahanait, allongé lourdement sur moi. Une autre chose que les marieuses ne vous disent pas : le combat que c'est, de colorer du bœuf à l'huile et de fariner du poulet sans sa peau. J'avais toujours fait cuire le bœuf dans ses sucs. Quant au poulet, je l'avais toujours poché sans toucher à sa peau.

In the following days, I was pleased that my husband left for work at six in the morning and did not come back until eight in the evening so that I had time to throw away pieces of half-cooked, clammy chicken and start again.

The first time I saw Nia, who lived in 2D, I thought she was the kind of woman Aunty Ada would disapprove of. Aunty Ada would call her an *ashawo*, because of the see-through top she wore so that her bra, a mismatched shade, glared through. Or Aunty Ada would base her prostitute judgment on Nia's lipstick, a shimmery orange, and the eye shadow—similar to the shade of the lipstick—that clung to her heavy lids.

"Hi," she said when I went down to get the mail. "You're Dave's new wife. I've been meaning to come over and meet you. I'm Nia."

"Thanks. I'm Chinaza... Agatha."

Nia was watching me carefully. "What was the first thing you said?"

"My Nigerian name."

"It's an Igbo name, isn't it?" She pronounced it "E-boo."

"Yes."

"What does it mean?"

"God answers prayers."

"It's really pretty. You know, Nia is a Swahili name. I changed my name when I was eighteen.

Les jours suivants, je me suis trouvée bien contente que mon mari quitte la maison pour son travail à six heures du matin et n'en revienne qu'après huit heures du soir ; ça me laissait le temps de jeter les morceaux de poulet collants et à moitié cuits, et de recommencer.

La première fois que j'ai vu Nia, qui habitait au 2D, je me suis dit que c'était le genre de femme que tantie Ada aurait désapprouvée. Tantie Ada l'aurait traitée d'*ashawo*, à cause de son haut transparent qui laissait entrevoir un soutien-gorge d'une couleur qui n'était pas assortie. À moins que tantie Ada n'ait jugé que Nia était une prostituée en raison de son rouge à lèvres orange brillant et du fard, du même ton que le rouge à lèvres, étalé sur ses paupières lourdes.

« Salut, m'a-t-elle dit quand je suis descendue prendre le courrier. Tu es la femme de Dave. Je voulais venir te dire bonjour. Je m'appelle Nia.

— Merci. Je m'appelle Chinaza... Agatha. »

Nia m'observait avec attention. « Qu'est-ce que tu as dit en premier ?

— Mon nom nigérian.

— C'est un nom ibo, n'est-ce pas ? » Elle prononçait « i-bou ».

« Oui.

— Qu'est-ce que ça veut dire ?

— Dieu exauce les prières.

— C'est vraiment joli. Tu sais, Nia est un nom swahili. J'ai changé de prénom à dix-huit ans.

I spent three years in Tanzania. It was fucking amazing."

"Oh," I said and shook my head; she, a black American, had chosen an African name, while my husband made me change mine to an English one.

"You must be bored to death in that apartment; I know Dave gets back pretty late," she said. "Come have a Coke with me."

I hesitated, but Nia was already walking to the stairs. I followed her. Her living room had a spare elegance: a red sofa, a slender potted plant, a huge wooden mask hanging on the wall. She gave me a Diet Coke served in a tall glass with ice, asked how I was adjusting to life in America, offered to show me around Brooklyn.

"It would have to be a Monday, though," she said. "I don't work Mondays."

"What do you do?"

"I own a hair salon."

"Your hair is beautiful," I said, and she touched it and said, "Oh, this," as if she did not think anything of it. It was not just her hair, held up on top of her head in a natural Afro puff, that I found beautiful, though, it was her skin the color of roasted groundnuts, her mysterious and heavy-lidded eyes, her curved hips. She played her music a little too loud, so we had to raise our voices as we spoke.

"You know, my sister's a manager at Macy's," she said.

J'ai passé trois ans en Tanzanie. Putain, c'était puissant.

— Ah », ai-je dit en secouant la tête. Elle qui était noire américaine s'était choisi un nom africain, alors que mon mari me faisait prendre un nom anglais.

« Tu dois crever d'ennui dans cet appart, je sais que Dave rentre assez tard, a-t-elle dit. Viens prendre un Coca chez moi. »

J'ai hésité, mais Nia se dirigeait déjà vers l'escalier. Je l'ai suivie. Son living-room était d'une élégance sobre : un canapé rouge, une plante verte élancée, un immense masque en bois accroché au mur. Elle m'a offert un Coca light dans un grand verre avec des glaçons, m'a demandé comment je m'adaptais à la vie en Amérique, m'a proposé de me faire visiter Brooklyn.

« Mais il faudrait que ce soit un lundi, je ne travaille pas le lundi.

— Qu'est-ce que tu fais ?

— J'ai un salon de coiffure.

— Tu as des cheveux superbes », lui ai-je dit. Elle les a touchés en disant « Oh, ça », comme si elle n'y attachait pas d'importance. Mais ce n'était pas seulement ses cheveux, relevés en touffe afro naturelle, que je trouvais beaux, c'était aussi sa peau couleur de cacahouètes grillées, ses yeux mystérieux aux paupières lourdes, ses hanches rondes. Elle avait mis la musique un peu trop fort, ce qui nous obligeait à hausser la voix.

« Tu sais, a-t-elle repris, ma sœur est gérante chez Macy's.

"They're hiring entry-level salespeople in the women's department, so if you're interested I can put in a word for you and you're pretty much hired. She owes me one."

Something leaped inside me at the thought, the sudden and new thought, of earning what would be mine. Mine.

"I don't have my work permit yet," I said.

"But Dave has filed for you?"

"Yes."

"It shouldn't take long; at least you should have it before winter. I have a friend from Haiti who just got hers. So let me know as soon as you do."

"Thank you." I wanted to hug Nia. "Thank you."

That evening I told my new husband about Nia. His eyes were sunken in with fatigue, after so many hours at work, and he said, "Nia?" as though he did not know who I meant, before he added, "She's okay, but be careful because she can be a bad influence."

Nia began stopping by to see me after work, drinking from a can of diet soda she brought with her and watching me cook. I turned the air conditioner off and opened the window to let in the hot air, so that she could smoke. She talked about the women at her hair salon and the men she went out with. She sprinkled her everyday conversation with words like the noun "clitoris" and the verb "fuck." I liked to listen to her.

Ils embauchent des vendeurs non qualifiés au rayon femmes, alors si ça t'intéresse, je peux lui en toucher un mot et c'est presque comme si c'était fait. Elle me doit un service. »

J'ai senti quelque chose bondir à l'intérieur de moi à la pensée, cette pensée nouvelle et soudaine, de gains qui seraient à moi. À moi.

« Je n'ai pas encore mon permis de travail, ai-je dit.

— Mais Dave a fait la demande pour toi ?

— Oui.

— Ça ne devrait pas prendre très longtemps ; tu devrais l'avoir avant l'hiver, en tout cas. J'ai une amie d'Haïti qui vient de recevoir le sien. Tiens-moi au courant dès que tu l'auras.

— Merci. » J'avais envie d'embrasser Nia. « Merci. »

Ce soir-là, j'ai parlé de Nia à mon mari tout neuf. Il avait les yeux creusés par la fatigue, après tant d'heures de boulot, et il a dit « Nia ? » comme s'il ne savait pas de qui je parlais, avant d'ajouter : « Elle est sympa, mais fais attention parce qu'elle peut avoir une mauvaise influence. »

Nia a pris l'habitude de passer me voir en rentrant du travail, une cannette de Coca light à la main, qu'elle buvait en me regardant cuisiner. Je coupais la clim et j'ouvrais la fenêtre pour laisser entrer l'air chaud et lui permettre de fumer. Elle me parlait des femmes qui venaient à son salon de coiffure et des hommes avec qui elle sortait. Elle émaillait sa conversation quotidienne de mots tels que le substantif « clitoris » et le verbe « baiser ». J'aimais l'écouter.

I liked the way she smiled to show a tooth that was chipped neatly, a perfect triangle missing at the edge. She always left before my new husband came home.

Winter sneaked up on me. One morning I stepped out of the apartment building and gasped. It was as though God was shredding tufts of white tissue and flinging them down. I stood staring at my first snow, at the swirling flakes, for a long, long time before turning to go back into the apartment. I scrubbed the kitchen floor again, cut out more coupons from the Key Food catalog that came in the mail, and then sat by the window, watching God's shredding become frenzied. Winter had come and I was still unemployed. When my husband came home in the evening, I placed his french fries and fried chicken before him and said, "I thought I would have my work permit by now."

He ate a few pieces of oily-fried potatoes before responding. We spoke only English now; he did not know that I spoke Igbo to myself while I cooked, that I had taught Nia how to say "I'm hungry" and "See you tomorrow" in Igbo.

"The American woman I married to get a green card is making trouble," he said, and slowly tore a piece of chicken in two. The area under his eyes was puffy.

J'aimais son sourire qui découvrait une dent impeccablement cassée, privée d'un triangle bien net au bord. Elle partait toujours avant le retour à la maison de mon mari tout neuf.

L'hiver m'a prise par surprise. Un matin, je suis sortie de l'immeuble et j'en suis restée bouche bée. On aurait dit que Dieu déchiquetait des mouchoirs en papier blancs et jetait les confettis d'en haut. Je suis restée debout à regarder ma première neige, les flocons qui tourbillonnaient, pendant un long, long moment, avant de retourner à l'appartement. J'ai récuré le sol de la cuisine une seconde fois, découpé d'autres bons dans le catalogue Key Food que nous recevions par le courrier, et je suis allée m'asseoir près de la fenêtre pour regarder la frénésie croissante des déchiquetages de Dieu. L'hiver était arrivé et j'étais toujours sans emploi. Ce soir-là, quand mon mari est rentré, j'ai déposé devant lui son assiette de poulet pané et de frites et je lui ai dit : « Je pensais que j'aurais déjà reçu mon permis de travail, à la date d'aujourd'hui. »

Il a mangé quelques-unes de ses frites huileuses avant de répondre. Nous ne parlions plus que l'anglais entre nous, à présent ; il ignorait que je parlais ibo toute seule quand je faisais la cuisine et que j'avais appris à Nia à dire « J'ai faim » et « À demain » en ibo.

« L'Américaine que j'ai épousée pour avoir ma carte verte me fait des ennuis », a-t-il dit. Puis il a déchiré lentement un morceau de poulet en deux. Il avait des poches sous les yeux.

"Our divorce was almost final, but not completely, before I married you in Nigeria. Just a minor thing, but she found out about it and now she's threatening to report me to Immigration. She wants more money."

"You were married before?" I laced my fingers together because they had started to shake.

"Would you pass that, please?" he asked, pointing to the lemonade I had made earlier.

"The jug?"

"Pitcher. Americans say pitcher, not jug."

I pushed the jug (pitcher) across. The pounding in my head was loud, filling my ears with a fierce liquid. "You were married before?"

"It was just on paper. A lot of our people do that here. It's business, you pay the woman and both of you do paperwork together but sometimes it goes wrong and either she refuses to divorce you or she decides to blackmail you."

I pulled the pile of coupons toward me and started to rip them in two, one after the other. "Ofodile, you should have let me know this before now."

He shrugged. "I was going to tell you."

"I deserved to know before we got married." I sank down on the chair opposite him, slowly, as if the chair would crack if I didn't.

"It wouldn't have made a difference. Your uncle and aunt had decided.

« Notre divorce était presque prononcé, mais pas complètement, quand je t'ai épousée au Nigeria. Juste un détail, seulement elle l'a appris et maintenant elle menace de me dénoncer à l'Immigration. Elle réclame plus d'argent.

— Tu as été marié ? » J'ai entrelacé les doigts car mes mains s'étaient mises à trembler.

« Tu me passes ça, s'il te plaît ? a-t-il dit en montrant le citron pressé que j'avais préparé plus tôt.

— La carafe ?

— La cruche. Les Américains disent cruche, pas carafe. »

J'ai poussé la carafe (la cruche) dans sa direction. Le martèlement qui vibrait dans ma tête était fort, il remplissait mes oreilles d'un liquide brûlant. « Tu as été marié ?

— Juste sur le papier. On est beaucoup de Nigérians à faire ça, ici. C'est une transaction ; tu paies la femme et vous faites les papiers ensemble, mais il arrive que ça se passe mal et qu'elle refuse de divorcer ou décide de te faire chanter. »

J'ai tiré vers moi le tas de bons d'achat et je me suis mise à les déchirer en deux, l'un après l'autre. « Ofodile, tu aurais dû m'en informer plus tôt.

— J'allais te le dire, a-t-il fait en haussant les épaules.

— Je méritais de le savoir avant qu'on se marie. » Je me suis enfoncée dans la chaise en face de lui, lentement, comme si elle allait casser sinon.

« Ça n'aurait rien changé. Ton oncle et ta tante avaient déjà décidé.

Were you going to say no to people who have taken care of you since your parents died?"

I stared at him in silence, shredding the coupons into smaller and smaller bits; broken-up pictures of detergents and meat packs and paper towels fell to the floor.

"Besides, with the way things are messed up back home, what would you have done?" he asked. "Aren't people with master's degrees roaming the streets, jobless?" His voice was flat.

"Why did you marry me?" I asked.

"I wanted a Nigerian wife and my mother said you were a good girl, quiet. She said you might even be a virgin." He smiled. He looked even more tired when he smiled. "I probably should tell her how wrong she was."

I threw more coupons on the floor, clasped my hands together, and dug my nails into my skin.

"I was happy when I saw your picture," he said, smacking his lips. "You were light-skinned. I had to think about my children's looks. Light-skinned blacks fare better in America."

I watched him eat the rest of the batter-covered chicken, and I noticed that he did not finish chewing before he took a sip of water.

That evening, while he showered, I put only the clothes he hadn't bought me, two embroidered boubous and one caftan,

Tu allais dire non à des gens qui se sont occupés de toi depuis la mort de tes parents ? »

Je l'ai dévisagé en silence, tout en déchiquetant les bons en morceaux de plus en plus petits ; des images fragmentées de détergents, de paquets de viande et d'essuie-tout tombaient par terre.

« En plus, vu la pagaille qui règne au pays, qu'est-ce que tu aurais fait ? a-t-il demandé. Vrai ou faux qu'il y a des gens qui ont des masters et qui battent le pavé sans boulot ? » Il parlait d'une voix blanche.

« Pourquoi m'as-tu épousée ? ai-je demandé.

— Je voulais une femme nigériane et ma mère m'a dit que tu étais une brave fille, une fille calme. Elle m'a dit que tu étais peut-être même vierge. » Il a souri. Il avait l'air encore plus fatigué quand il souriait. « Je devrais sans doute lui dire ô combien elle se trompait. »

J'ai jeté d'autres bons d'achat par terre, serré fort les mains et enfoncé les ongles dans ma peau.

« J'ai été content quand j'ai vu ta photo, a-t-il ajouté en faisant claquer ses lèvres. Tu avais la peau claire. Il fallait que je pense au physique de mes enfants. Les Noirs à la peau claire s'en sortent mieux en Amérique. »

Je l'ai regardé manger le reste de son poulet pané et j'ai remarqué qu'il n'attendait pas d'avoir fini de mastiquer pour boire son eau.

Ce soir-là, pendant qu'il prenait sa douche, j'ai mis seulement les vêtements qu'il ne m'avait pas achetés, deux boubous brodés et un caftan,

all Aunty Ada's cast-offs, in the plastic suitcase I had brought from Nigeria and went to Nia's apartment.

Nia made me tea, with milk and sugar, and sat with me at her round dining table that had three tall stools around it.

"If you want to call your family back home, you can call them from here. Stay as long as you want; I'll get on a payment plan with Bell Atlantic."

"There's nobody to talk to at home," I said, staring at the pear-shaped face of the sculpture on the wooden shelf. It's hollow eyes stared back at me.

"How about your aunt?" Nia asked.

I shook my head. You left your husband? Aunty Ada would shriek. Are you mad? Does one throw away a guinea fowl's egg? Do you know how many women would offer both eyes for a doctor in America? For any husband at all? And Uncle Ike would bellow about my ingratitude, my stupidity, his fist and face tightening, before dropping the phone.

"He should have told you about the marriage, but it wasn't a real marriage, Chinaza," Nia said. "I read a book that says we don't fall in love, we climb up to love. Maybe if you gave it time—"

"It's not about that."

"I know," Nia said with a sigh. "Just trying to be fucking positive here. Was there someone back home?"

tous trois hérités de tantie Ada, dans la valise en plastique que j'avais apportée du Nigeria, et je suis allée chez Nia.

Nia m'a fait du thé, avec du lait et du sucre, et s'est assise avec moi à sa table ronde, entourée de trois tabourets hauts.

« Si tu veux appeler ta famille au pays, tu peux le faire d'ici. Reste aussi longtemps que tu veux au téléphone, je demanderai un paiement échelonné à Bell Atlantic.

— Je n'ai personne à qui parler au pays », ai-je dit en fixant le visage en forme de poire de la sculpture sur l'étagère en bois. Ses yeux creux me rendaient mon regard.

« Et ta tante ? » a demandé Nia.

J'ai secoué la tête. Tu as quitté ton mari ? hurlerait tantie Ada. Tu es folle ou quoi ? Est-ce qu'on jette un œuf de pintade ? Sais-tu combien de femmes donneraient leurs deux yeux pour un docteur en Amérique ? Pour n'importe quel mari ? Et oncle Ike s'emporterait contre mon ingratitude et ma stupidité, le poing et le visage contractés, avant de lâcher le combiné.

« Il aurait dû t'avertir pour le mariage, mais ce n'était pas un vrai mariage, Chinaza, a dit Nia. J'ai lu dans un livre qu'on ne tombe pas amoureux, on "monte en amour". Peut-être que si tu laissais le temps au temps...

— Il ne s'agit pas de ça.

— Je sais, a dit Nia en soupirant. J'essayais juste d'être positive, là, tu vois. Tu avais quelqu'un au Nigeria ?

"There was once, but he was too young and he had no money."

"Sounds really fucked-up."

I stirred my tea although it did not need stirring. "I wonder why my husband had to find a wife in Nigeria."

"You never say his name, you never say Dave. Is that a cultural thing?"

"No." I looked down at the table mat made with waterproof fabric. I wanted to say that it was because I didn't know his name, because I didn't know him.

"Did you ever meet the woman he married? Or did you know any of his girlfriends?" I asked.

Nia looked away. The kind of dramatic turning of head that speaks, that intends to speak, volumes. The silence stretched out between us.

"Nia?" I asked finally.

"I fucked him, almost two years ago, when he first moved in. I fucked him and after a week it was over. We never dated. I never saw him date anybody."

"Oh," I said, and sipped my tea with milk and sugar.

"I had to be honest with you, get everything out."

"Yes," I said. I stood up to look out of the window. The world outside seemed mummified into a sheet of dead whiteness. The sidewalks had piles of snow the height of a six-year-old child.

— J'ai eu quelqu'un, mais il était trop jeune et il n'avait pas d'argent.

— Putain, ça craint. »

J'ai remué mon thé qui n'en avait pourtant pas besoin. « Je me demande pourquoi mon mari avait besoin de se trouver une femme au Nigeria.

— Tu ne dis jamais son nom, tu ne dis jamais Dave. C'est un truc culturel ?

— Non. » J'ai baissé le regard sur le set de table en tissu imperméabilisé. J'avais envie de dire que c'était parce que je ne connaissais pas son nom, que je ne le connaissais pas.

« Est-ce que tu as rencontré la femme qu'il avait épousée ? Ou est-ce que tu as connu certaines de ses copines ? » ai-je demandé.

Nia a détourné la tête. Le genre de mouvement de tête théâtral qui en dit long, du moins qui veut en dire long. Le silence s'est installé entre nous.

« Nia ? ai-je fini par demander.

— Je me le suis fait, il y a presque deux ans, quand il a emménagé ici. Je me le suis fait et au bout d'une semaine c'était fini. On n'est jamais sortis ensemble. Je ne lui ai jamais vu de copine.

— Ah. » J'ai bu quelques gorgées de mon thé au lait sucré.

« Il fallait que je sois franche avec toi, que je déballe tout.

— Oui. » Je me suis levée pour regarder par la fenêtre. Dehors, le monde semblait momifié sous un drap de blancheur morte. Il y avait sur les trottoirs des tas de neige hauts comme des enfants de six ans.

"You can wait until you get your papers and then leave," Nia said. "You can apply for benefits while you get your shit together, and then you'll get a job and find a place and support yourself and start afresh. This is the U.S. of fucking A., for God's sake."

Nia came and stood beside me, by the window. She was right, I could not leave yet. I went back across the hall the next evening. I rang the doorbell and he opened the door, stood aside, and let me pass.

« Tu peux attendre d'avoir tes papiers et ensuite tu te casses, a dit Nia. Tu peux demander des allocations le temps de t'organiser, et ensuite, tu te trouves un boulot et un appart, tu gagnes ta vie, tu recommences à zéro. On est aux États-Unis d'Amérique, bordel de Dieu ! »

Nia m'a rejointe près de la fenêtre. Elle avait raison. Je ne pouvais pas encore partir. Le lendemain soir, j'ai retraversé le couloir dans l'autre sens. J'ai sonné à la porte et il a ouvert, s'est écarté et m'a laissée passer.

DU MÊME AUTEUR

Dans la collection Folio Bilingue

LES ARRANGEMENTS ET AUTRES HISTOIRES / *THE ARRANGEMENTS AND OTHER STORIES. Traduction de Marguerite Capelle et Mona de Pracontal* (n° 214)

Dans la collection Folio

L'AUTRE MOITIÉ DU SOLEIL (n° 5093)

AUTOUR DE TON COU (n° 5863)

NOUS SOMMES TOUS DES FÉMINISTES, *suivi des* MARIEUSES (Folio 2 € n° 5935)

AMERICANAH (n° 6112)

L'HIBISCUS POURPRE (n° 6113)

Dans la collection Écoutez lire

AMERICANAH

NOUS SOMMES TOUS DES FÉMINISTES, *suivi des* MARIEUSES

DANS LA MÊME COLLECTION

Dernières parutions

ANGLAIS

AUSTEN *Lady Susan* / Lady Susan
BARNES *Letters from London (selected letters)* / Lettres de Londres (choix)
BARNES *Levels of Life* / Quand tout est déjà arrivé
BRADBURY *The Illustrated Man and other short stories* / L'Homme Illustré et autres nouvelles
CAPOTE *Breakfast at Tiffany's* / Petit déjeuner chez Tiffany
CAPOTE *Music for Chameleons* / Musique pour caméléons
CAPOTE *One Christmas* / *The Thanksgiving visitor* / Un Noël / L'invité d'un jour
COE *9th and 13th* / 9e et 13e (Désaccords imparfaits)
COLLECTIF (E. Wharton, H. P. Lovecraft, F. Brown) *Bloody Tales* / Histoires sanglantes
COLLECTIF (Amis, Swift, McEwan) *Contemporary English Stories* / Nouvelles anglaises contemporaines
COLLECTIF (Fitzgerald, Miller, Charyn) *New York Stories* / Nouvelles new-yorkaises
CONAN DOYLE *Silver Blaze and other adventures of Sherlock Holmes* / Étoile d'argent et autres aventures de Sherlock Holmes
CONAN DOYLE *The Final Problem and other adventures of Sherlock Holmes* / Le dernier problème et autres aventures de Sherlock Holmes
CONAN DOYLE *The Man with the Twisted Lip and other adventures of Sherlock Holmes* / L'homme à la lèvre tordue et autres aventures de Sherlock Holmes
CONRAD *Gaspar Ruiz* / Gaspar Ruiz
CONRAD *Heart of Darkness* / Au cœur des ténèbres
CONRAD *The Duel* / Le duel
CONRAD *The Secret Sharer* / Le Compagnon secret
CONRAD *Typhoon* / Typhon
CONRAD *Youth* / Jeunesse
DAHL *My Lady Love, my Dove* / Ma blanche colombe
DAHL *Road's Revolting Recipes* / Les irrésistibles recettes de Roald Dahl
DAHL *The Great Switcheroo* / *The Last Act* / La grande entourloupe / Le dernier acte
DAHL *The Princess and the Poacher* / *Princess Mammalia* / La Princesse et le braconnier / La Princesse Mammalia

DAHL *The Umbrella Man and other stories* / L'homme au parapluie et autres nouvelles
DICK *Minority Report* / Rapport minoritaire
DICKENS *A Christmas Carol* / Un chant de Noël
DICKENS *The Cricket on the Hearth* / Le grillon du foyer
FAULKNER *A Rose for Emily / That Evening Sun / Dry September* / Une rose pour Emily / Soleil couchant / Septembre ardent
FAULKNER *The Wishing Tree* / L'Arbre aux Souhaits
FITZGERALD *Tales of the Jazz Age (selected stories)* / Les enfants du jazz (choix)
FITZGERALD *The Crack-Up and other stories* / La fêlure et autres nouvelles
FITZGERALD *The Rich Boy and Other Stories* / Le garçon riche et autres histoires
FORSYTH *The Shepherd* / Le berger
HAMMETT *The Gutting of Couffignal / Crooked Souls* / Le sac de Couffignal / Âmes malhonnêtes
HARDY *Two Stories from Wessex Tales* / Deux contes du Wessex
HAWTHORNE *Tales from New England* / Contes de la Nouvelle-Angleterre
HEMINGWAY *Fifty Grand and other short stories* / Cinquante mille dollars et autres nouvelles
HEMINGWAY *The Northern Woods* / Les forêts du Nord
HEMINGWAY *The Old Man and the Sea* / Le vieil homme et la mer
HEMINGWAY *The Snows of Kilimanjaro and other short stories* / Les neiges du Kilimandjaro et autres nouvelles
HIGGINS *Harold and Maude* / Harold et Maude
IRVING *The Legend of Sleepy Hollow / Rip Van Winkle* / La Légende de Sleepy Hollow / Rip Van Winkle
JAMES *Daisy Miller* / Daisy Miller
JAMES *The Birthplace* / La Maison natale
JAMES *The Last of the Valerii* / Le dernier des Valerii
JOYCE *A Painful Case / The Dead* / Un cas douloureux / Les morts
KEROUAC *Lonesome Traveler (selected stories)* / Le vagabond solitaire (choix)
KEROUAC *Satori in Paris* / Satori à Paris
KIPLING *Just so Stories* / Histoires comme ça
KIPLING *Stalky and Co.* / Stalky et Cie
KIPLING *Wee Willie Winkie* / Wee Willie Winkie
LAWRENCE *Daughters of the Vicar* / Les filles du pasteur
LAWRENCE *The Virgin and the Gipsy* / La vierge et le gitan
LONDON *The Call of the Wild* / L'appel de la forêt
LONDON *The Son of the Wolf and other tales of the Far North* / Le Fils du Loup et autres nouvelles du Grand Nord

LOVECRAFT *The Dunwich Horror* / L'horreur de Dunwich
MANSFIELD *The Garden Party and other stories* / La garden-party et autres nouvelles
MELVILLE *Benito Cereno* / Benito Cereno
MELVILLE *Bartleby the Scrivener* / Bartleby le scribe
ORWELL *Animal Farm* / La ferme des animaux
POE *Mystification and other tales* / Mystification et autres contes
POE *The Assignation and Other Tales* / Le rendez-vous et autres contes
POE *The Murders in the Rue Morgue and other tales* / Double assassinat dans la rue Morgue et autres histoires
RENDELL *The Strawberry Tree* / L'Arbousier
SHAKESPEARE *Famous scenes* / Scènes célèbres
STEINBECK *The Pearl* / La perle
STEINBECK *The Red Pony* / Le poney rouge
STEVENSON *Ollala* / Ollala
STEVENSON *The Rajah's Diamond* / Le diamant du rajah
STEVENSON *The strange case of Dr Jekyll and Mr Hyde* / L'étrange cas du Dr Jekyll et M. Hyde
STYRON *Darkness Visible / A Memoir of Madness* / Face aux ténèbres / Chronique d'une folie
TWAIN *Is he living or is he dead ? and other short stories* / Est-il vivant ou est-il mort ? et autres nouvelles
WELLS *The Country of the Blind and other tales of anticipation* / Le Pays des Aveugles et autres récits d'anticipation
WELLS *The Time Machine* / La Machine à explorer le temps
WILDE *A House of Pomegranates* / Une maison de grenades
WILDE *The Portrait of Mr. W. H.* / Le portrait de Mr. W. H.
WILDE *Lord Arthur Savile's crime* / Le crime de Lord Arthur Savile
WILDE *The Canterville Ghost and other short fictions* / Le Fantôme des Canterville et autres contes
WOOLF *Monday or Tuesday* / Lundi ou mardi

ALLEMAND

ANONYME *Wunderbare Reisen des Freiherrn von Münchhausen* / Les merveilleux voyages du baron de Münchhausen
BERNHARD *Der Stimmenimitator (Auswahl)* / L'imitateur (choix)
BÖLL *Der Zug war pünktlich* / Le train était à l'heure
CHAMISSO *Peter Schlemihls wundersame Geschichte* / L'étrange histoire de Peter Schlemihl

EICHENDORFF *Aus dem Leben eines Taugenichts* / Scènes de la vie d'un propre à rien

FREUD *Selbstdarstellung* / Sigmund Freud présenté par lui-même

FREUD *Die Frage der Laienanalyse* / La question de l'analyse profane

FREUD *Das Unheimliche und andere Texte* / L'inquiétante étrangeté et autres textes

FREUD *Eine Kindheitserinnerung des Leonardo da Vinci* / Un souvenir d'enfance de Léonard de Vinci

GOETHE *Die Leiden des jungen Werther* / Les souffrances du jeune Werther

GOETHE *Faust* / Faust

GRIMM *Das blaue Licht und andere Märchen* / La lumière bleue et autres contes

HANDKE *Die Lehre der Sainte-Victoire* / La leçon de la Sainte-Victoire

HANDKE *Kindergeschichte* / Histoire d'enfant

HANDKE *Lucie im Wald mit den Dingsdda* / Lucie dans la forêt avec les trucs-machins

HOFFMANN *Der Sandmann* / Le marchand de sable

HOFMANNSTHAL *Andreas* / Andréas

KAFKA *Die Verwandlung* / La métamorphose

KAFKA *Brief an den Vater* / Lettre au père

KAFKA *Ein Landarzt und andere Erzählungen* / Un médecin de campagne et autres récits

KAFKA *Beschreibung eines Kampfes* / *Forschungen eines Hundes* / Description d'un combat / Les recherches d'un chien

KLEIST *Die Marquise von O...* / *Der Zweikampf* / La marquise d'O... / Le duel

KLEIST *Die Verlobung in St. Domingo* / *Der Findling* / Fiançailles à Saint-Domingue / L'enfant trouvé

MANN *Tonio Kröger* / Tonio Kröger

MÖRIKE *Mozart auf der Reise nach Prag* / Un voyage de Mozart à Prague

NIETZSCHE *Ecce homo* / Ecce homo

RILKE *Geschichten vom lieben Gott* / Histoires du Bon Dieu

RILKE *Zwei Prager Geschichten* / Deux histoires pragoises

SCHLINK *Der Andere* / L'autre

TIECK *Der Pokal und andere Märchen* / La coupe d'or et autres contes

VON SCHIRACH *Glück und andere Kurzgeschichten* / Quelle chance ! et autres nouvelles

WALSER *Der Spaziergang* / La promenade

ZWEIG *Der Amokläufer* / Amok

ZWEIG *Schachnovelle* / Le joueur d'échecs

ZWEIG *Vierundzwanzig Stunden aus dem Leben einer Frau* / Vingt-quatre heures de la vie d'une femme

RUSSE

BABEL *Одесскне рассказы* / Contes d'Odessa
BOULGAKOV *Записки юного врача* / Carnets d'un jeune médecin
BOULGAKOV *Роковые яйца* / Les Œufs du Destin
DOSTOÏEVSKI *Записки из подполья* / Carnets du sous-sol
DOSTOÏEVSKI *Кроткая / Сон смешного человека* / Douce / Le songe d'un homme ridicule
DOSTOÏEVSKI *Маленький герой* / Un petit héros
GOGOL *Портрет* / Le portrait
GORKI *Мой спутник* / Mon compagnon
KAZAKOV *На полстанке и другие рассказы* / La petite gare et autres récits
LERMONTOV *Герой нашего времени* / Un héros de notre temps
OULITSKAÏA *Сонечка* / Sonietchka
POUCHKINE *Пиковая дама* / La Dame de pique
POUCHKINE *Арап Петра Великого* / Le nègre de Pierre le Grand
POUCHKINE *Дубровского* / Doubrovski
TCHEKHOV *Дама с собачкой / Архиерей / Невеста* / La dame au petit chien / L'évêque / La fiancée
TCHEKHOV *Палата N° 6* / Salle 6
TOLSTOÏ *Дьявол* / Le Diable
TOLSTOÏ *Сетейное счастье* / Le bonheur conjugal
TOLSTOÏ *Смерть Ивана Ильича* / La Mort d'Ivan Ilitch
TOLSTOÏ *Крейцерова соната* / La sonate à Kreutzer
TOURGUENIEV *Часы* / La montre
TYNIANOV *Подпоручик Киже* / Le lieutenant Kijé

ITALIEN

BARICCO *Novecento. Un monologo* / Novecento : pianiste. Un monologue
BARICCO *Seta* / Soie
BASSANI *Gli occhiali d'oro* / Les lunettes d'or
BOCCACE *Decameron, nove novelle d'amore* / Décameron, neuf nouvelles d'amour
CALVINO *Fiabe italiane* / Contes italiens

COLLECTIF (Verga, Pirandello, Consolo) *Novelle siciliane* / Nouvelles siciliennes
D'ANNUNZIO *Il Traghettatore ed altre novelle della Pescara* / Le passeur et autres nouvelles de la Pescara
DANTE *Divina Commedia* / La Divine Comédie (extraits)
DANTE *Vita Nuova* / Vie nouvelle
DE LUCA *Il peso della farfalla* / Le poids du papillon
DE LUCA *Non ora, non quí* / Pas ici, pas maintenant
DE LUCA *Tre cavalli* / Trois chevaux
GOLDONI *La Locandiera* / La Locandiera
GOLDONI *La Bottega del caffè* / Le Café
MACHIAVEL *Il Principe* / Le Prince
MALAPARTE *Il Sole è cieco* / Le Soleil est aveugle
MORANTE *Lo scialle andaluso ed altre novelle* / Le châle andalou et autres nouvelles
PASOLINI *Racconti romani* / Nouvelles romaines
PAVESE *La bella estate* / Le bel été
PAVESE *La spiaggia* / La plage
PAVESE *L'idolo e altri racconti* / L'idole et autres récits
PIRANDELLO *Novelle per un anno I (scelta)* / Nouvelles pour une année I (choix)
PIRANDELLO *Novelle per un anno II (scelta)* / Nouvelles pour une année II (choix)
PIRANDELLO *Sei personaggi in cerca d'autore* / Six personnages en quête d'auteur
PIRANDELLO *Vestire gli ignudi* / Vêtir ceux qui sont nus
SCIASCIA *Il contesto* / Le contexte
SVEVO *Corto viaggio sentimentale* / Court voyage sentimental
TABUCCHI *Cinema e altre novelle* / Cinéma et autres nouvelles
VASARI/CELLINI *Vite di artisti* / Vies d'artistes
VERGA *Cavalleria rusticana ed altre novelle* / Cavalleria rusticana et autres nouvelles

ESPAGNOL

ASTURIAS *Leyendas de Guatemala* / Légendes du Guatemala
BORGES *El Aleph y otros cuentos* / L'Aleph et autres contes
BORGES *El libro de arena* / Le livre de sable
BORGES *Ficciones* / Fictions
CALDERÓN DE LA BARCA *La vida es sueño* / La vie est un songe
CARPENTIER *El acoso* / Chasse à l'homme

CARPENTIER *Concierto barroco* / Concert baroque
CARPENTIER *Guerra del tiempo* / Guerre du temps
CERVANTES *El amante liberal* / L'amant généreux
CERVANTES *El celoso extremeño* / *Las dos doncellas* / Le Jaloux d'Estrémadure / Les Deux Jeunes Filles
CERVANTES *Novelas ejemplares (selección)* / Nouvelles exemplaires (choix)
COLLECTIF (Fuentes, Pitol, Rossi) *Escritores mexicanos* / Écrivains mexicains
COLLECTIF (Marsé, Zarraluki, España) *Historias de Barcelona* / Histoires de Barcelone
CORTÁZAR *Historias inéditas de Gabriel Medrano* / Histoires de Gabriel Medrano
CORTÁZAR *Las armas secretas* / Les armes secrètes
CORTÁZAR *Queremos tanto a Glenda (selección)* / Nous l'aimions tant, Glenda (choix)
FUENTES *Las dos orillas* / Les deux rives
FUENTES *Los huos del conquistador* / Les fils du conquistador
GARCÍA LORCA *Bodas de sangra* / Noces de sang
GARCÍA LORCA *Mi pueblo y otros escritos* / Mon village et autres textes
GARCÍA LORCA *Yerma* / Yerma
RIVAS *La lengua de las mariposas y otras novelas (selección)* / La langue des papillons et autres nouvelles (choix)
RULFO *El Llano en llamas (selección)* / Le Llano en flammes (choix)
TIRSO DE MOLINA *El Burlador de Sevilla y convidado de piedra* / Le Trompeur de Séville et l'Invité de pierre
UNAMUNO *Cuentos (selección)* / Contes (choix)
VALLE-INCLÁN *Un día de guerra (Visión estelar)* / Un jour de guerre vu des étoiles
VARGAS LLOSA *Los cachorros* / Les chiots

Composition PCA /CMB
Impression Maury Imprimeur
45330 Malesherbes
le 2 mai 2018.
Dépôt légal : mai 2018.
Numéro d'imprimeur : 227046.

ISBN 978-2-07-278498-9. / Imprimé en France.

332279